中山學術文化基金會叢書

中山先生與美國

陳三井 著

臺灣學生書局印行

序

中山先生不僅是創立中華民國的　國父，而且也是廣受國際人士推崇的一位偉大的思想家。中山先生自謂其思想學說的主要淵源，乃係數千年來中華民族文化的一貫道統。而孔子的大同思想，尤為其終身所嚮往。故中山先生一生欲謀解決的，乃是中國和全世界人類的共同問題。他的思想學說之所以能夠受到各國有識之士的重視，自非無因。

蔡元培先生所撰之〈三民主義的中和性〉一文中，談及古今中外許多思想家和政治家所提出的解決人類問題的主張，大都趨向於兩個極端。例如中國法家的極端專制，道家的極端放任。又如西方人士主張自由競爭的，則要維持私有財產制度，主張階級鬥爭的，則要沒收資本家的一切所有，這些都是兩極端的意見。而具有「中和性」的三民主義，則是「執其兩端，用其中。」主張不走任何一端而選取兩端的長處，使之互相調和。所以蔡先生說：「能夠提出解決人類問題的根本辦法的，祇有我們孫先生，他的辦法就是三民主義。」因此蔡先生一生服膺三民主義，成為中山先生最忠實的信徒。

從中山先生傳記中，可知他青年時期所接受的是醫學的專業教育，故對自然科學具有良好的基礎。加以他博覽中國的經史典籍，並精研西方的「經世之學」，所以他的思想學說，實涵蓋了人文、社會及自然科學的各種領域。因而他對達爾文的進化論，馬克斯的唯物史觀以及西方的資本主義，均能指出其錯誤和偏差。而中山先生一生主張「把中華民族從根救起來，對世界文化迎頭趕上去。」正如孔子一樣，他真正是一位「聖之時者」的偉大人物。

中山先生常言：「有道德始有國家，有道德始成世界」。環顧今日國內則社會風氣日趨敗壞，「四維不張」，人心陷溺；而國際間則爾虞我詐，戰亂不息。在整個世界人人缺乏安全感的環境中，我們更不能不欽佩中山先生數十年前的真知灼見。他這兩句特別重視道德的「醒世警語」，實在是人類所賴以共存共榮的金科玉律，更為一種顛撲不破的真理。今日由於交通及電訊的便捷，有人常稱現在全世界為一「地球村」；但如在此地球村生存的人沒有「命運共同體」的意念，則所謂地球村，僅係一空洞名詞。中山先生所遺墨寶中，最常見者為「博愛」與「天下為公」數字，我們倘能廣為宣揚他這種「為往聖繼絕學，為萬世開太平」的理念，則大家所居住的地球村，將可呈現一片祥和的景象，使人類獲得永久的和平與幸福。

中山先生一生特別強調「實踐」的重要，故創有「知難行易」的學說。所以我們今日研究中山先生的思想學說，似不宜專注意於其理論的層面，而應以中山先生思想學說的重要理念為基礎，進而參酌各種學術研究的最新成果，與世界潮流未來發展的趨勢，以及我國社會當前的實際需要，藉使中山先生思想學說的內涵，能不斷增補充實，與時俱進，成為「以建民國，以進大同」的主要指標。

中山學術文化基金董事會自民國五十四年成立以來，即以闡揚中山先生思想及獎勵學術研究為主要工作。余承乏董事長一職後，除繼續執行各項原定計畫外，更邀請海內外學術界人士撰寫專著，輯為「中山叢書」及「中山文庫」。同時與報社合作，創刊「中山學術論壇」。此外，復就中山先生思想體系中若干易滋疑義之問題，分類條列，悉依中山先生本人之言論予以辨正。務期中山先生思想在國內扎根，向國外弘揚，並進而對促成中國和平統一大業能有所貢獻。

劉真

民國八十三年六月於中山學術文化基金會

中山先生與美國

目次

凡例

一、《中山叢書》規劃中山先生與外國關係之系列書籍，已出版者有《中山先生與莫斯科》、《中山先生與日本》、《中山先生與法國》、《中山先生與德國》等四種，即將出版的有《中山先生與英國》，惟獨漏關係亦至為重要的美國。為求其完備，承中山學術文化基金會之囑，於《中山先生與法國》專著出版後，勉力續撰《中山先生與美國》，這是本書之由來。

二、本書依時間先後，區分為六章二十四節，約十五萬字，旨在對中山先生的一生與美國的關係，作比較完整而有系統之回顧。

三、中山先生一生與美國的關係，有如一部近代中美關係史的縮影。探索兩國外交關係，當然以直接參閱雙方外交檔案，如《美國外交關係文書》為上策，惟以時間所限，翻閱較少，不得不退而求其次，多參考已使用該《文書》的第二手著作，如張忠紱、彭澤周、林明德、吳翎君、王綱領、陶文釗、邵宗海、楊日旭、薛君度、韋慕廷（C. Martin Wilbur）等中外學者的專書或專文，幸讀者鑒之！

四、惟筆者個人能力有限，加以完稿匆促，遺漏、不足或舛誤之處，在所難免，仍盼海內外方家批評指教是幸！

第一章　中山先生思想與美國

第一節　中山先生的美國觀

光緒五年（一八七九）孫中山十四歲時，第一次隨母親楊太夫人自澳門登上英國輪船格蘭諾號（S.S. Grannock），乘風破浪，航向太平洋，前往檀香山，嗣就讀於檀島英國聖公會（Anglican Church）所設之意奧蘭尼書院（Iolani School）。此行對於中山先生的畢生影響，至為重大，自稱「始見輪舟之奇，滄海之濶，自是有慕西學之心，窮天地之想」[1]。這幾句話不但表示中山先生在思想上開拓了新境界，而且在生命上得到了新的啟示。此種自我的發現與生命的覺醒，便是孫先生

[1] 孫中山，《自傳》，秦孝儀主編，《國父全集》（近代中國出版社，民國七十八年十一月二十四日出版），第二冊，頁一九二。

一生偉大事業的開端。❷

眾所周知，孫中山一生曾經到過檀香山和美國大陸七次。他在檀香山和美國本土待過的時間，前後加起來共有九年半之久。他早期主要的革命活動，從一八九四年成立興中會開始到同盟會時期的組織和宣傳活動，乃至歷次起義向華僑的募款，有不少是在美國境內進行的。

職斯之故，我們可以肯定的說，中山先生係民初開國一代領袖中與美國淵源關係最為密切的政治家，無論是他的革命思想或建國理念，都與美利堅合眾國的經驗密切關聯。特別是三民主義、五權憲法等政治理想與實踐，均與孫先生的美國觀息息相關。即便是他個人晚年的政治轉向，也離不開他對美國某種程度上的失望、失落情緒這一心態基礎。與同時代的人相比，中山先生的美國觀既有學理的一面，亦有實踐的一面。與康有為、梁啟超相比，除了是否借鑒美國民主共和體制問題上有突出的差異外，在如何以美國為借鏡、探索中國富強方面，中山先生與康、梁等也有許多相通之處（如都主張像美國那樣，大辦鐵路、大興教育等）。這反映了救亡圖強的時代強者，也是當時先進的中國人無可替代的抉擇。孫中山先生對美國的全面瞭解與深刻理解，在近代中國恐怕鮮有出其右者。從不斷總結、借鑒美國立國的正面經驗與反面教訓中，孫先生順應時勢發展潮流，謀劃中國現代化之道，這是一筆巨大而寶貴的文化遺產。❸

首先，在孫中山看來，美國是「世界最文明、最富強之國」。我們若仔細披閱《國父全集》，可以發現中山先生在許多不同的場合，一再稱讚美國是「世界第一富強的國家」、「世界最富最強之國，沒有那一國可以和它並駕齊驅」、「今日世界實業最發達之國」、「世界上第一個富強的國家」、「現在世界上頂富頂強的國家」。這與其政敵康有為的說法幾乎異曲同工。康有為曾深嘆「美國最富」，世界各國「富樂莫如美」、「美之富冠五洲」❹。美國之所以富強，孫中山認為由於實業發達，梁啟超則歸功於「內治修，工商盛，學校昌，才智繁」的結果。❺

其次，孫中山指出，美國是第一個有飯吃的國家。中山先生講民生主義，第一個問題，便是吃飯問題，特別重視的也是吃飯問題。古人云：「國以民為本，民以食為天」，便是這個道理。孫中山深知，中國當時是個民窮財盡的國家，吃飯問題特別嚴重，每年餓死的人數超過千萬，所以特別羨慕夠飯吃的法國和有飯吃的美國，美國每年還運送許多糧食去接濟歐洲。❻

從吃飯問題談到美國人口。孫中山提及，「美國人口，一百年前不過九百萬，現在有一萬萬以上，他們的增加率極大，這百年之內加多十倍。他們這些增加的人口，多半是由歐洲移民而來，不是在本國生育的。歐洲各國的人民，因為近十年來歐洲地狹人稠，在本國沒有生活，所以便搬到美國來謀生活，因為這個緣故，美國人口便增加得非常快。」❼

---

❷ 羅家倫主編，黃季陸、秦孝儀增訂，《國父年譜》（中國國民黨黨史委員會出版，民國七十四年十一月十二日第三次增訂），上冊，頁二四—二五。

❸ 楊玉聖，〈孫中山先生的美國觀——一個比較分析〉，《第五屆孫中山與現代中國學術研討會論文集》（臺北國父紀念館，民國九十一年十一月十二日出版），頁六三。

❹ 湯志鈞編，《康有為政論集》（北京中華書局，一九七七年），上冊，頁二一八、二二八、一二七。

❺ 梁啟超著，《飲冰室合集・文集》（上海中華書局，民國三十年六月再版），第六冊《飲冰室文集之十八》，頁九九。

❻ 《國父全集》，第一冊，頁一五八。

❼ 《國父全集》，第一冊，頁九。

從人口問題又談到民族問題。就以上美國移民的分析，孫中山由此認為，「美國人的種族，比哪一國都要複雜，各洲各國的移民都有；到了美國之後，就熔化起來，所謂合一爐而冶之，自成一種民族。這種民族既不是原來的英國人、法國人、德國人，又不是意大利人和其他南歐洲人，另外是一種新民族，可以叫做美利堅民族。美國因為有獨立的民族，所以便成世界上獨立的國家。」❽從美利堅民族「混合數十種民族以成國」，由歐洲各種族而熔冶為一爐，終於成為「世界上最光榮的民族」，「乃有今日光華燦爛底美國」，所以孫中山要提倡「能結合四萬萬人成一個堅固民族」的民族主義，用民族精神來救國，並要「以美國為榜樣，……仿美利堅民族底規模，將漢族改為中華民族，組成一個完全底國家，與美國同為東西半球的大民族主義底國家。」❾

在孫中山的心目中，美國不但是「世界最富最強之國」，也是「先進文明國」，更是「共和之先進國」以及「自由之邦」。孫中山畢生革命，所追求的大致便是以美國為模範，效法美國的一個中華共和國。以美國國力之強盛及其在國際政治上的重要地位，當然是中山先生在革命過程中一直所要爭取同情和支援的對象。孫中山認為，「美國素重感情，主持人道」，政府政策「對於中國則取門戶開放，機會均等，領土保全，而對於革命尚無成見」，美國輿論則「大表同情於我」。基於此認識，孫中山對於美國一直懷抱著美麗的憧憬，對於美國政治領袖和民間輿論始終抱持著深深的期待！

第二節　中山先生對美國獨立革命的認識

做為一個革命家，孫中山並不諱言革命，且自詡所治者，即為「革命之學問」；但革命與叛逆不同，他說：「革命者，乃神聖之事業，天賦之人權，而最美之名詞也。」他進一步強調，「革命為一寶貴尊嚴之名詞，須知革命有革命之主義，有革命之道德，有革命之精神。」[10]此與孔子所說的「湯武革命，順乎天而應乎人」，是相通的。

職斯之故，中山先生特別推崇美國獨立革命與法國大革命，並做了比較。他指出，近二、三百年，世界先後發生了三次革命，依序是英國（光榮）革命、美國革命（獨立戰爭）、法國革命。他認為，美國、法國的革命都是成功的，英國革命算是沒有成功，因為英國人民雖然把皇位推倒了，但不久又復辟，國體仍舊是君主，貴族階級也還是存在。就美國革命與法國革命兩相比較，孫中山還是給予前者比較高的評價，因為「法國革命經過了八十年才能夠成功，美國革命不過八年，便大功告成。」[11]

---

[8] 《國父全集》，第一冊，頁九—十。

[9] 中山大學歷史系孫中山研究室等合編，《孫中山全集》（北京中華書局出版，一九八五年四月），第五卷，頁四七四。

[10] 《國父全集》，第二冊，頁五六一。

[11] 《國父全集》，第一冊，頁六三。

接著，孫中山又認為，法國革命之主義在自由，美國革命之主義在獨立。⓬他說：「美國第一次的大戰爭，是美國人民自己求獨立，為自己爭平等。」⓭「當美國革命的時候，人民所向的目標是在獨立。他們為什麼要獨立呢？因他們當時的十三州都是英國的領土，歸英國管理。英國是一個專制的國家，壓迫美國人民，比壓迫本國人民還要嚴厲得多，美國人民見得他們自己和英國人民，都是同歸一個英國政府管理，英國政府待本國人民是那樣寬大，待美國人民是這樣刻薄，便覺得很不平等。所以要脫離英國，自己去管理自己，成一個獨立國家。他們因為獨立，反抗英國，和英國戰爭了八年，後來獨立成功，所有在美國的白色人種，政府都一律看待，一律平等。」⓬

總之，孫中山認為，美國獨立戰爭是「美國人民自己求獨立，為自己爭平等」的革命戰爭。中山先生認為，美國獨立戰爭是「美國人民自己求獨立，為自己爭平等」的革命戰爭。中山先生一再強調，美國之所以最富強，就首先在於其反抗英國而獨立建國的革命。這是其「革命之良好結果」。「美國所以興，是由於革命而來。」

除了獨立戰爭之外，美國人為了爭取平等自由，還打了第二次戰爭，此即南北戰爭（一八六一～一八六五）。美國人發動獨立戰爭，打過了八年仗才脫離英國，得到平等，成為一個獨立的國家。第二次戰爭打過了五年仗，才達到目的。孫中山說：「第二次的大戰爭，是美國人民為黑奴求自由，為黑奴爭平等；不是為自己爭平等，是為他人爭平等。為他人爭平等，比較為自己爭平等，所受的犧牲還要大，流血還要多。所以美國歷史是一種爭平等的歷史，這種爭平等的歷史，是世界歷史中的大光榮⓭。美國人這種為黑奴爭平等的高尚情操，正是中國人「濟弱扶傾」精神的偉大實踐，更是孫中山注視亞洲民族解放運動，為籌劃亞洲民族力量統合而努力的至高理想。

身為白人的美國人為什麼在為自己爭平等之外，還肯進一步打抱不平，為自己團體以外的人——即黑人去爭平等呢？這要歸功於一七七六年七月四日美國國會所通過的《獨立宣言》（*Declaration of Independence*）。《獨立宣言》由當時年僅三十三歲的傑弗遜（Thomas Jeffersen, 1743-1826）所起草，為美國立國的重要文獻。它富有歐洲啟蒙哲學的氣息，尤其是洛克（John Locke, 1632-1704）的思想躍然於字裡行間。它的主旨是：在自然狀態下由自然法運作，所有人類皆自由而平等，皆具有一些不可讓渡的權利，其中主要的有「生命、自由和對幸福的追求」（Life, liberty and the pursuit of happiness），政府的建立係為確保這些權力，其「公正的權力」（just powers）源自被治者的同意。不拘任何型態的政府，當他破壞了這些目的時，人民有權來改變它，於歷數英國政府暴政後宣布獨立。⓮

據孫中山指出，《獨立宣言》開宗明義便說人人生而平等，天賦有一定不能少的權利，那些權利，便是生命、自由和求幸福。後來訂定憲法，也是根據這個道理。美國注重人類平等的憲法既然成立以後，還要黑人來做奴隸，所以美國主張平等自由的學者，見到那種事實和立國

⓬《國父全集》，第一冊，頁八一。

⓭《國父全集》，第一冊，頁八三。

⓮王曾才編著，《西洋近世史》（國立編譯館出版，正中書局發行，民國六十五年二月），頁三二四—三二五。

精神太相矛盾，便反對一個平等自由的國家裡頭，還用許多人類來做奴隸。」⓯「己所欲，施於人」，「己所不欲，勿施於人」，這也正是孫中山所說，美國人為黑人打抱不平、爭取平等打第二次戰爭的緣故。

一九〇四年秋，孫中山在王寵惠的幫助下，於紐約首次發表對外宣言，草稿原是為〈對美國人民的一項呼籲〉（An Appeal to the People of the United States），定稿時改為〈中國問題的真解決〉（The True Solution of the Chinese Question）。這實際上可以說是一篇中國革命的宣言書。有認為，無論從內容到形式，它都受到《獨立宣言》的影響。我們也可以說，它與《獨立宣言》可以東西相輝映。

㈠美國《獨立宣言》集中揭露英王統治北美殖民地的歷史，「是一部怙惡不悛，倒行逆施的歷史」，接著羅列廿七條罪狀。孫中山的《呼籲》則是詳盡地揭露清朝專制統治的罪惡歷史，說「在滿清二百六十年的統治下，我們遭受無數的虐待，舉其主要者」十一條罪狀。

㈡在羅列罪狀條文中的某些提法，《呼籲》與《宣言》頗有相似之處。如《宣言》第十七條說，「他（指英王）不得到我們的允許就向我們強迫繳稅」。《呼籲》第八條也說，「他們（指清朝統治者）不經我們的同意而向我們徵收沉重的苛捐雜稅」；《宣言》第十八～廿二條，都係有關剝奪、侵犯美國人民的各種權利，而《呼籲》第十條則是概括地說，「他們不依照適當的法律程序而剝奪我們的各種權利」。

㈢《宣言》在羅列英王罪狀之後指出，「在他施行這些高壓政策的每一階段，我們都曾經用最謙卑的詞句籲請改革。然而，我們屢次的籲請，結果所得到的卻只是屢次的侮辱」。而《呼籲》則說，「雖然有這樣的痛苦，但我們曾用了一切方法以求與他們和好相安，結果卻是徒勞無效」。

㈣《宣言》中明確宣稱，「為了保障這些權利，所以才在人們中間成立政府」。「如果遇有任何一種形式的政府變成損害這些目的，那麼，人民就有權利來改變或廢除它，以建立新的政府」。而《呼籲》則明確宣稱，「顯而易見，要想解決這個緊急的問題，必須以一個新的、開明的、進步的政府來代替舊政府」，「把過時的滿清君主政體改變為中華民國的計劃，經慎重考慮之後，早就制訂出來了。廣大的人民群眾也都甘願接受新秩序、渴望著情況改善，把他們從現在悲慘的生活境遇中解救出來」。

㈤《宣言》最後說，「我們這些集合在大會中的美利堅合眾國的代表們，籲請世界人士的最高裁判，來判斷我們這些意圖的正義性」，而《呼籲》最後則說，「我們必須普遍地向文明世界的人民，特別是向美國的人民呼籲，要求你們在道義上與物質上給以同情和支援」。

孫中山在《呼籲》的最後還說，「我們要仿照你們（美國人民）的政府而締造我們的新政府，尤其因為你們是自由與民主的戰士。我們希望能在你們中間找到許多的辣斐德」（Marquis de Lafayette, 1757-1834，按即在美國獨立戰爭期間，率領法軍協助美軍作戰的拉法葉將軍）。從以上的對照顯示，孫中山所寫的這篇《呼籲》，簡直就像是中國版的《獨立宣言》。⑯

---

⑮《國父全集》，第一冊，頁八一。

⑯俞旦初，〈美國獨立史在近代中國的介紹和影響〉，《世界歷史》，一九八七年第二期（一九八七年四月），頁七四—七五。

性慕新奇，對西學有興趣，曾熟讀美國歷史的孫中山，對於美國開國元勳華盛頓、解放黑奴的林肯總統以及同時代的威爾遜總統都有所論列，茲分述如下：

第二節　中山先生對美國政治領袖的推崇
——華盛頓、林肯、威爾遜

㈠開國元勳——華盛頓

喬治·華盛頓（George Washington, 1732-1799）是美利堅合眾國的主要締造者之一。依據哈佛大學歷史學教授斯勒辛格（Arthur Schlesinger）於一九六二年調查七十五位歷史學家所做的評價，華盛頓被列為五位「偉大總統」（great presidents）中的第二位，僅次於林肯。⓱

中國人主要是從「開眼看世界」的先驅者那裡逐漸知道華盛頓的，其中徐繼畬（一七九五～一八七三）的貢獻尤著。徐繼畬在《瀛環志略》中第一次把華盛頓詳細介紹給國人，華盛頓從此成為中國婦孺皆知的世界偉人之一。請看徐繼畬如何生動描繪他：

按：華盛頓，……起事勇於勝、廣，割據雄於曹、劉；既已提三尺劍，開疆萬里，乃不僭位號，不傳子孫，而創為推舉之法，幾於天下為公，駸駸乎三代之遺意！其治國崇讓善俗，不尚武功，亦迥與諸國異。余嘗見其畫像，氣貌雄毅絕倫。嗚呼！可不謂人傑矣哉？[18]

此段按語，聲勢奪人，其字裡行間，無不洋溢著一個開明的中國士大夫對美國開國政治家的仰慕之情。[19]

一八六八年，蔣劍人刻刊《嘯古堂文集》，其中一篇〈華盛頓傳〉，簡略敘及華盛頓生平、領導獨立戰爭、創建合眾國的豐功偉績，並特別介紹其民主思想。對華盛頓的民主思想不僅十分讚美，而且流露一種嚮往之情，這在當時的中國確是難能可貴的。一八八六年，黎汝謙、蔡國昭合作譯刊《華盛頓傳》，這不但是中國近代以來第一本譯自美國學者撰寫的華盛頓傳，而且也是最詳盡地介紹美國獨立戰爭史的一本專書。[20]

值得引人注意的是，據梁啟超一九〇三年游訪美國後在《新大陸游記》中記載，他親自在華盛頓見到「華盛頓紀功華表，矗立都之中央」，並了解到早先當「華盛頓紀功表構造時，徵石於萬國，五洲土物，鳩集備矣。各國贈石，皆系以銘，用其國文揚之，以頌美國國父之功德」。同時還看到，「吾中國亦有石」，係「當時使館所餽，道員某為題詞」，而「其文乃用《瀛環

---

[17] 朱建民著，《美國總統繽紛錄》（臺灣商務印書館出版，一九九六年十一月），頁二一。

[18] 徐繼畬，《瀛環志略》（臺灣華文書局，民國五十七年四月再版），卷九，頁七三五。

[19] 楊玉聖著，《中國人的美國觀——一個歷史的考察》（復旦大學出版社，一九九六年十一月），頁一九。

[20] 俞旦初，〈美國獨立史在近代中國的介紹和影響〉，頁六三。

志略》所載」。這個事實也反映了當時中國一些人士對美國獨立戰爭領袖、合眾國創建人華盛頓及其「天下為公」的民主思想的頌揚態度。[21]

自華盛頓其人其事被介紹到中國後，做為美利堅民族的象徵，這位美國的國父一直深受中國人的尊重，其盛譽經久不衰。華盛頓及其領導的美國革命更是近代中國先進人士心目中追求的理想與榜樣。[22]

孫中山對華盛頓的為人與事功，早就十分仰慕。中山先生在青年時代，與陸皓東遊，常集合青少年，演說太平天國與華盛頓、拿破崙事蹟。[23]在外國政治領袖中，孫中山顯然最推崇華盛頓與拿破崙，喜歡拿華盛頓與拿破崙做比較，他不完全同意「華盛頓有仁讓之風，所以開國之初，有黃袍之拒；拿破崙野心勃勃，有鯨吞天下之志，所以起共和而終帝制」的說法，他認為這是一國趨勢所造成，無關乎個人之賢愚，「是故使華盛頓處於法蘭西，則不能不為拿破崙；使拿破崙處於美利堅，則不能不為華盛頓」。[24]他曾經激勵革命軍人，「如果能夠把革命做成功，便是美國的華盛頓，否則便是滇軍的某師長（遣兵士扣押要錢）。[25]

我們若耐心檢索一部《國父全集》，便可以發現頗多孫中山推崇華盛頓的證言，一八九六年十月，在他所撰的《自傳》中，孫中山即稱，「於中學則獨好三代兩漢之文，於西學則雅癖達文之道（Darwinism），而格致政事，亦常流覽。至於教則崇耶穌，於人則仰中華之湯武暨美國華盛頓焉。」[26]

孫中山在講民權主義提到美國革命時，曾多次提到華盛頓，稱他為「極著名的首領」、「開國元勳」，又說出：「美國有兩個極有名的大總統：一位是開國的大總統叫做華盛頓，現在世界上的人說起開國元勳便數到華盛頓，因為那位大總統在爭人類平等的歷史上，是很有功勞的。其餘一位大總統就是林肯。」㉗後來，他在別的演講中也指出，「美國有兩個大偉人，一個是華盛頓，一個是林肯。」㉘總之，從孫中山對這位美國開國元勳的推崇，處處表露出見賢思齊的仰慕之情。

㈡林肯——黑奴解放者

林肯（Abraham Lincoln, 1809-1865）是美國第十六任總統，依據一九六二年歷史學家斯勒辛格調查所做的評價，林肯被列為五位「偉大總統」之首，在華盛頓之上。㉙奴隸制度的爭論使自由黨（Whig Party）崩潰，亦使民主黨分裂，也造成共和黨的興起。共和

㉑同前註。

㉒楊玉聖，《中國人的美國觀》，頁四五。

㉓陳錫祺主編，《孫中山年譜長編》（北京中華書局出版，一九九一年八月），上冊，頁三五。

㉔蔣永敬，〈孫中山先生的革命思想〉，《中華民國建國史》（國立編譯館，民國七十四年四月），第一篇，《革命開國》（一），頁一八八。

㉕孫中山，〈打破舊思想要用三民主義〉，《國父全集》，第三冊，頁三七八。

㉖孫中山，《自傳》，《國父全集》，第二冊，頁一九三。

㉗《國父全集》，第一冊，頁八二。

㉘孫中山，〈國民黨奮鬥之法宜注重宣傳不宜專注重軍事〉，《國父全集》，第三冊，頁三九八。

㉙朱建民，《美國總統續紛錄》，頁二三三。

黨的主要人物便是林肯。林肯一向反對奴隸制度，認為是不道德，是一種罪惡。一八五八年，他在競選伊利諾州參議員對共和黨大會所發表的演說中，曾引喻聖經的話開場說：「一個家庭分裂對立決不能持久。我相信政府不能容忍一半奴役和一半自由的情況。我不期望聯邦解體；我不期望這個家庭會衰敗，但我的確期望它停止分裂。情勢發展，二者必居其一：不是反對奴隸制度的人阻止其進一步擴張，並將其限定在公眾確信它正趨向最後消滅之途的地方；就是擁護奴隸制度的人將其再向前推進，直至在全國各州，不論新與舊或南與北，它都將成為合法。」㉚

林肯在總統任內最大的貢獻，便是用武力打贏長達四年之久因奴隸問題所引起的南北戰爭（一八六一～一八六五），維護聯邦的統一，發布「奴隸解放令」（the Emancipation Proclamation），並全面廢除奴隸制度。

孫中山對美國黑奴的處境，十分瞭解而同情。他不厭其詳的說：「美國人從前對待黑人是很刻薄的，把黑人當作牛馬一樣，要他們做奴隸、做苦工，每日做很多的工，辛辛苦苦，做完了之後，沒有工錢，只有飯吃。那種殘酷情形，全國人民看見了，覺得是很不公道、很不平等的，和開國憲法的道理太不相容，所以大家提倡人道主義，打破這種不平等的制度。後來這種主張愈傳愈廣，贊成這種主張的人便非常之多。於是有許多熱心的人，調查當時黑奴所受的痛苦，做成了許多記錄，其中最著名的一本書，是把黑奴受痛苦的種種事實，編成一本小說，令人人看到了之後，都很有趣味，這本小說叫做《黑奴籲天錄》（*Uncle Tom's Cabin*）。自這本書做出之後，大家都知道黑奴是怎樣受苦，便替黑奴來抱不平。」㉛

對於南北戰爭為何發生？中山先生也有深入的觀察。他說：「當時全美國之中，北方各省沒有畜黑奴的，便主張放奴。南方各省所畜的黑奴是很多，因為南方各省有許多極大的農場，平常都是專靠黑奴去耕種，如果放黑奴，便沒有苦工，便不能耕種。南方的人由於自私自利的思想，便反對放奴，說黑奴是他們的本錢，如果要解放，他們一定要收回本錢。當時一個黑奴，差不多要值五、六千元，南方各省的黑奴有幾百萬，總算起來要值幾百萬萬元。因為那種價值太大，國家沒有那樣多錢去償還黑奴的東家，所以放黑奴的風潮雖然是發生了很久，但是醞釀復醞釀，到了六十年前才爆發出來，構成美國的南北戰爭。」㉜

基於此，孫中山除了推崇開國的大總統華盛頓之外，也十分歌頌解放黑奴，為人類（黑奴）求平等立了很大功勞的林肯，認為他是「最尊重人道」的美國大人物，多次稱讚其為「偉人」、「聖人」以及「雄才大略的大總統」。

㈢威爾遜——公理與正義的化身

威爾遜（Woodrow Wilson, 1856-1921）是美國第廿八任總統，他在任內最大的貢獻，便是於一九一八年一月八日向美國國會兩院聯席會議發表演說，列舉「十四點原則」（the Fourteen Points）做為持久和平的基礎。此「十四點原則」在今日看來雖無甚新奇，但在當時實為空谷足音，影響

㉚ 王曾才，《西洋近世史》，頁六四六；朱建民，《美國總統繽紛錄》，頁二二二—二二三。
㉛ 《國父全集》，第一冊，頁八一。
㉜ 同前註，頁八二。

深遠。[33]特別是該年年底，當歐戰結束的消息傳來，全國上下欣喜若狂，知識分子尤為興奮。在慶祝歐戰結束、協約國勝利的同時，國人對美國總統威爾遜及其倡導的「十四點原則」（含國際聯盟），推崇備至，如醉如痴。在中國人看來，如果說協約國是「公理戰勝強權」的團體代表，那麼，威爾遜個人便是「公理與正義的化身」。[34]

在這之前，尚在美國留學的胡適（一八九一～一九六二），即已視威爾遜為「大政治家」、「大理想家」，謂其事事持正，尊重人道。他的外交政策，「實於外交史上開一新紀元」。梁啟超則在《東方雜誌》發表〈國防聯盟與中國〉一文，把威爾遜倡建的國際聯盟說成是實現「將來理想之世界大同的最良手段」。蔡元培把「十四點」視做「武斷主義的末日、平民主義的新紀元」，特別讚賞限制軍備、公開外交等原則。當時一般知識界人士的心情，《每周評論》的發刊詞甚具代表性。身為主筆的陳獨秀奉威爾遜為當時世界上「第一好人」，因為中國的知識分子正是從這位大學校長出身的美國總統身上，找到了既朦朧、又真切的希望。面對著內有軍閥當道、外有列強欺凌的多難局勢，「公理」、「平等」、「民族自決」等等，如同久旱之甘霖，實令人鼓舞。蔣夢麟在為他翻譯的《美國總統威爾遜參戰演說》一書所做的序言中稱：這些演說「代表大共和國光明正大之民意，為世界求永久之和平，為人類保公共之利權者也。今戰事已告終止，武力既摧，強權乃折。民意既彰，正義自伸。威總統之言，實為世界大同之先導。凡愛平民主義者，莫不敬而重之」。當時是北大學生，後來成為著名學者的傅斯年，據說他能把威爾遜的「十四點」一字不差地背出來。由此也就不難理解，一九一八年十一月三十日夜，北京學生提燈遊行時，何以有不少人到美駐華使館前情不自禁地高喊「威爾遜大總統萬歲」！

在當時人的心目中，「美國是中國真正的朋友」，此乃相當流行的一種觀念。人們在興奮之餘，遂愈益寄希望於美國，寄希望於威爾遜。㉟

孫中山對威爾遜所主張的「民族自決」十分歡迎，對他「提倡以正義公理維持國際之永久和平」，更深表贊同。中山先生在分析歐戰的起因之後，特別提到，「當戰爭時有一個大言論最被人歡迎的，是美國威爾遜所主張的『民族自決』。因為德國用武力壓迫協商國的民族，威爾遜主張打滅德國的強權，令世界上各弱小民族以後都有自主的機會；於是這種主張便被世界所歡迎。所以印度雖然被英國滅了，普通人民是反對英國的，但是有好多小民族，聽見威爾遜說這回戰爭是為弱小民族爭自由的，他們便很喜歡去幫英國打仗。……當時威爾遜主張維持以後世界的和平，提出了十四條，其中最要緊的是讓各民族自決。」可惜的是，「民族自決」的口號卻抵不過帝國主義現實的利益。孫中山繼續分析說：「當戰事未分勝負的時候，英國、法國都很贊成，到了戰勝之後開和議的時候，英國、法國和意大利覺得威爾遜所主張的民族開放，和帝國主義利益的衝突太大，所以到要和議的時候，便用種種方法騙去威爾遜的主張，弄到和議結局所訂出的條件，最不公平。世界上的弱小民族不但不能自決，不但不能自由，並且以後

㉝ 朱建民，《美國總統繽紛錄》，頁三九九。

㉞ 陳三井，〈巴黎和會前後中國人的美國觀〉，《華美族研究集刊》（紐約天外天出版社），卷一，第二期（二〇〇一年八月十五日），頁八〇。

㉟ 楊玉聖，《中國人的美國觀》，頁七五－七六。

所受的壓迫，比從前更要利害。」[36]

及歐戰結束，此時孫中山已辭去廣州軍政府大元帥職，住在上海法租界莫利愛路（Rue Molière）廿九號，對時局採「暫不過問」態度，而集中大部分精力於著述，以啟導民智，也就是要做思想革命的工夫。[37]惟中山先生仍於民國七年（一九一八）十一月十八日，致電美國總統威爾遜，除祝賀威氏「當此世界大戰，主持撲滅武力主義大獲全勝，民治民權，擁護功高，有史以來未之前聞」外，並特別關切南北和會，「為中國民權正義永久和平計，代國民為誠懇之呼籲」，呼籲威爾遜「必主持主義，慰予請求，務所以拯救歐人者轉以拯救中國。」[38]

美國威爾遜總統在國際強權政治舞臺上，以「救世主」自居，張揚「博愛」、「人道」的理想主義旗幟，使包括孫中山在內的中國人對他有莫大的期待，也寄望美國給予公道的支持。無奈隨著歐戰結束而召開的巴黎和會，「威大好人」變成「威大炮」，「公理」變成一場「空話」，在中國人的心目中，威總統的威信也跟著掃地。巴黎和會給中國人留下了巨大的創痛，「打破了中國知識分子的溫良的救國夢」，對強權政治有了更深切的體認。[39]

第四節　中山先生思想的美國淵源

(一)林肯的民有、民治、民享

一八六三年七月一～三日的蓋茨堡戰役（Battle of Gettysburg）是美國南北戰爭的最大戰役，也是最具關鍵性的一役。此役聯邦軍戰死一萬八千人，邦聯軍一萬八千七百五十人。李將軍（general Robert E. Lee）二度北上受阻，被迫向南撤退。十一月十九日，這一著名戰場所闢的國家公墓舉行獻禮，林肯總統發表兩分鐘演說，悼念死者為國捐軀，激勵生者完成未竟事業，此即有名的「蓋茨堡演說」（Gettysburg address）；在文學上是斐然成章的散文佳作，在政治上其詮釋民主政治深入肯綮──「民有、民治、民享的政府」（government of the people, by the people, for the people）──更是傳誦千古的經典著述，被列為美國歷史的重要文獻之一。[40]

晚清以來，「民有、民治、民享」這一名言，在中國政論界曾被廣泛引用。一般尚有如下不同譯法：民之所有、民之所治、民之所享；為民而設、由民而設、由民而治；為民而有、為民而治、為民而享；民所自有、所自操、所自為；為民所有、為民所治、為民所享；國為民有、國為民治、國為民享；主於民、出於民、而又為民；人民之政治、為人民之政治、由人民之政治；政府為人民所共有、為人民所共治、一切措施都是為人民所共享；出於人民、屬於人民、

㊱《國父全集》，第一冊，頁三一。

㊲李雲漢，《中國國民黨史述》（中國國民黨黨史委員會，民國八十三年十一月初版），第二編，頁二八六。

㊳〈孫中山致美國總統威爾遜告中國政情並請拯救中國之民主與和平電〉，《國父全集》，第五冊，頁九二─九三。

㊴楊玉聖，《中國人的美國觀》，頁七九。

㊵朱建民，《美國總統繽紛錄》，頁二三一。

為了人民。㊶

一九〇五年，孫中山在〈民報發刊詞〉中，概括歐美進化的「三大主義」，為民族、民權、民生，並主張「舉政治革命、社會革命畢其功於一役」。㊷後來，三大主義即做為革命黨的完整綱領。

民國十年（一九二一）三月六日，中山先生在中國國民黨本部特設辦事處演說〈三民主義之具體辦法〉中回憶，辛亥革命前在海外宣傳三民主義，外人無法理解，苦於找不到適當的譯語，於是引用林肯的話。他這樣說：「兄弟底三民主義，是集合中外底學說應世界底潮流所得的，就是美國前總統林肯底主義，也有與兄弟底三民主義符合底地方，其原文為 the government of the people, by the people, for the people，這話苦沒有適當底譯文，兄弟把他譯作『民有』、『民治』、『民享』。of the people，就是民有，by the people，就是民治，for the people，就是民享。他這民有、民治、民享主義，就是兄弟底民族、民權、民生主義。由是可知，美國有今日底富強，都是先哲底主義所賜。而兄弟底三民主義，在彼海外底偉人已有先得我心的。……由此可知，兄弟底三民主義，不但是有來歷，而且迎合現代底潮流」。㊸

這是孫中山明白拿三民主義與林肯的民有、民治、民享聯結接軌的開始，用意當然不僅希望外人了解他的主義，更隱含有拿林肯做榜樣，以美國為師，臻中國於富強的想法。

在此前後，孫中山每談及三民主義，都喜歡把它和林肯的民有、民治、民享聯繫起來，有時乾脆視兩者為一碼事。例如，一九二一年四月四日，孫中山在廣東省教育會的演說，特別強調，「我們革命之始，主張三民主義，三民主義就是民族、民權、民生。美國總統林肯他說的……

民有、民治、民享主義，就是兄弟的民族、民權、民生主義。」㊹同年十二月七日，在桂林軍政學七十六團體歡迎會的演說，孫中山直接了當的說：「三民主義就是民族主義、民權主義、民生主義。這三個主義和美國大總統林肯所說的民有、民治、民享三層意思，完全是相通的。民有的意思，就是民族主義。……把政治上的主權，實在拿到人民手裡來，才可以治國，才叫做民治。這個達到民治的道理，就叫做民權主義。……怎麼樣享受生活上幸福的道理，便叫做民生主義。所以說民有、民治、民享，就是本大總統生平所提倡的三民主義。」㊺

基於上述，林肯在蓋茨堡演說所揭示的民有、民治、民享概念，影響了孫中山三民主義理論的創造。孫中山對三民主義的提法，雖然與林肯的不盡相同，但其民主的內涵卻是相通的，林肯是孫中山少年時代就崇拜的英雄人物，孫氏早期的民主思想及其為老百姓謀求富足安樂生活的願望，無疑深受林肯主義的影響。㊻

(二)亨利・喬治的單稅論

㊶ 楊玉聖，〈孫中山先生的美國觀——一個比較分析〉，頁六九—七十，註十五。
㊷ 孫中山，〈民報發刊詞〉，《國父全集》，第二冊，頁二五六。
㊸ 孫中山，〈三民主義之具體辦法〉，《國父全集》，第三冊，頁二二八—二二九。
㊹ 孫中山，〈在廣東省教育會的演說〉，《孫中山全集》，第五卷，頁四九四。
㊺ 孫中山，〈在桂林軍政學七十六個團體歡迎會的演說〉，《孫中山全集》，第六卷，頁三。
㊻ 郝平，《孫中山革命與美國》（北京大學出版社，二〇〇二年二月），頁二三八。

澳洲學者葛立格（Kenneth N. Grigg）研究指出，「孫中山的社會哲學和美國亨利·喬治的社會哲學之間，存有一種堅實的歷史關聯。他們兩人在少年和青年時代，曾經受到相似的西方影響。亨利·喬治在一個信奉聖公會的家庭中成長，非常注意研讀聖經。這種家庭背景的影響，和孫中山學生時代在夏威夷英國教會學校所受的影響，頗相近似。青年時期的亨利·喬治也和青年時期的孫中山一樣，喜歡探究問題，獨立思考。」由於他們兩人在少年時期所受的環境影響大致相同，所以「孫中山到了青年時期很容易成為接納喬治思想種子的沃土。」㊼

亨利·喬治（Henry George, 1839-1897）是十九世紀末期美國知名的經濟學家、改革者與社會哲學家。喬治於一八三九年九月二日出生在美國東部的費城，從小生活貧困，沒有受過正規的學校教育。他十六歲起就充當水手，遠航澳洲、印度以及拉丁美洲的巴拿馬、聖地亞哥等地。一八五八年他來到加州，當過印刷工人、報紙編輯和發行工作。當時的加州正處於採掘黃金和土地投機的狂潮中，社會財富大量斂聚在少數暴發戶手中，廣大工人和勞動者的生活進一步貧困化，社會矛盾十分尖銳。喬治在坎坷的生活道路上奔波，接觸不少每日創造大量財富而又赤貧如洗的築路和採礦工人，其中包括淪落異鄉、備受困難的華工。㊽

其後，他致力於社會問題，特別是土地問題的探索。一八七一年，他寫出一本印張不滿百頁的小冊子——《我們的土地和土地政策》，抨擊了土地投機者和壟斷者，認為人人都有享有土地的權利，如同享有空氣和水一樣；土地被私人占有是社會貧富不均的主要根源。其後，他在這基礎上擴充為《進步與貧困》（*Progress and Poverty*）一書，系統地提出土地國有和實行單一稅的主張。這本書在一八七九年出版，立即引起各界人士的廣泛注意，從而使他一舉成名。㊾

在《進步與貧困》一書中，喬治提出了一個企圖以徵收單一土地稅為中心的解決資本主義國家貧富不均現象的方案。他認為，每一個國家的土地，應當屬於這個國家的全體人民所有。土地的私人占有，和空氣、陽光的私人占有一樣是不道德的，也是沒有理論根據的。然而土地的私人占有和使用卻又是合理的和不可避免的。任何均分土地的企圖都是不可能的，也是不理想的。土地應該，事實上現在也正是分成一塊一塊，給願意為每塊土地付出最高代價的私人使用。這個代價現在以地租為名稱每年付給某些人。亨利．喬治強調說，把地租扣除掉一切改良土壤的費用，用來造福社會，使人人均沾利益，就對每個人絕對公平。既然地租足夠支付政府一切必要的費用而綽綽有餘，那麼政府的費用就應當透過逐漸廢除一切賦稅，只用從地租中徵收的賦稅來支付。㊿

十九世紀末，二十世紀初，亨利．喬治的單稅論，曾被當做一種「救貧」新學和民生主義即「單稅社會主義」在中國流傳。最早把這一學說引入中國的，是加拿大的一名傳教醫師馬克林（W.E. Macklin），其次是德國殖民者在膠州灣實行的地稅政策。而在中國受到喬治影響最大的，還是孫中山的平均地權思想。中山先生的平均地權的主張，就是吸取了亨利．喬治的單稅論，

㊼ 葛立格，〈孫中山先生與中國現代化——與喬治學說的關聯〉，《孫中山先生與近代中國學術討論集》（論集編輯委員會，民國七十四年十二月出版），第一冊，頁三九四。

㊽ 夏良才，〈亨利．喬治的單稅論在中國〉，《近代史研究》，一九八〇年第一期，頁二四八。」

㊾ 同前註，頁二四九。

㊿ 郝平，《孫中山革命與美國》，頁二三九—二四〇。

並參照了中國古代土地公有學說後逐漸形成的。孫中山接受喬治的影響，大致有以下三個過程：

1.一八九六年六月至九月，孫中山從檀香山來到美國的舊金山，並橫越大陸，經芝加哥抵達紐約。一路上他在華僑中宣傳革命，同時也與美國的亨利．喬治的「唯一稅」者發生了接觸。次年，他在倫敦被清使館誘捕遇險，經多方營救獲釋後，在當地專心研讀各種政治經濟書籍，比較深入地觀察了資本主義社會的政治制度，看到了歐洲社會的生產發展，而貧富不均社會運動迭起的矛盾現象，形成了他想與民族、民權問題同時解決的民生觀念。當時，英國的社會運動中，喬治的土地國有論具有相當大的影響。特別是這年十月，亨利．喬治本人在競選紐約市長中去世，美國、英國、加拿大等地都發起過規模巨大的紀念活動。這年秋，孫中山從倫敦抵達加拿大的溫哥華市，在華僑中進行革命鼓動，這個城市多年來已在著手推行喬治的地價稅的主張。這一切，無疑對於孫中山接觸這一學說起了作用。

2.一八九八年孫中山到達日本，在這裡結識了日本志士宮崎寅藏。宮崎是個民權主義者，同情並幫助孫中山進行過革命活望動，但他也是個激進的社會革命論者。宮崎兄弟兩人都崇拜亨利．喬治的土地國有論。一八九五年宮崎寅藏就在日本成立一個宣傳喬治主義的「土地問題研究會」、一九〇二年改稱「土地復權同志會」。他們提出「平分地權」的主張，比孫中山的平均地權更為激進。孫中山在一八九九年以後曾多次到過日本，與宮崎寅藏討論反清的民族、民權革命問題，也討論了土地問題。孫中山在一八九九、一九〇〇年間大體對「平均地權」的民生主義有了比較成熟的看法。他在與章太炎、梁啟超等談論中外古今土地問題時，據馮自由記載：「其對於歐美學者之經濟思想、最服膺者為亨利佐（喬）治之單稅論，即平均地權之思想所由起也」。

3.孫中山在接觸喬治學說的過程中，對德國人從一八九八年起在膠州實行徵收地價增值稅的辦法，發生了很大興趣。一九〇六年，他在東京紀念《民報》周年會的演講中就提到，德人在膠州實行地價稅的辦法「已有成效」，他認為這足以說明，在「地價未漲的地方，恰好急行此法」。後來，在二十年代初孫中山還邀請已離任的膠州土地局督辦單維廉，訪問廣州革命政府，並聘他為顧問，指導徵收地價稅的實施方案。[51]

孫中山接受亨利·喬治的學說，大體上是從上述三個方面來的。在同盟會成立後，孫中山本人和同盟會一些主要成員如廖仲愷、胡漢民、馮自由等，在宣傳平均地權主張的同時，總是聯繫亨利·喬治的單稅論一起做介紹。孫先生本人在各種場合解釋民生主義的時候，也並不隱諱自己對亨利·喬治的推崇。一九〇六年，他在《民報》周年紀念的演講，其中對民生主義的詳盡說明，就是集亨利·喬治和穆勒的言論，「斟酌去取」、「概括以言」而成的。辛亥革命以後，孫中山認為民族、民權問題已經解決，主要問題就是實行民生主義了，同時也一再表示堅持喬治主義的立場。民國元年四月四日，他在上海《文匯報》記者問時，表示說：「余乃極端之社會黨，甚欲採擇顯理佐治（亨利·喬治）氏之主義施行於中國。」[52]他認為，喬治的單稅論，就是社會主義。同年，他在中國社會黨的一次演講會中說：「美人有卓爾基亨利者，一商輪水

[51] 夏良才，〈亨利·喬治的單稅論在中國〉，頁二五五—二五六。

[52] 孫中山，〈政治革命之後宜繼以和平的社會革命〉，《國父全集》，第二冊，頁四四六。

手也，赴舊金山淘金而致富，創一日報，鼓吹其生平所抱之主義，曾著一書，名為《進步與貧困》，其意以為世界愈文明，人類愈貧困，蓋於經濟學均分之不當，主張土地公有。其說風行一時，為各國學者所贊同，其復闡地稅法之理由，尤為精確，遂發生單稅社會主義之一說。」[53]他甚至把喬治與馬克思並列，認為喬治的「土地公有」和馬克思的「資本公有」，都是「得社會主義之真髓」。一直到一九二〇年，廣州革命政府還對中外記者宣布，「要儘可能把喬治的學理付諸實施」。由此可見，孫中山在提出民生主義之後，一直到改組國民黨之前，他的平均地權思想，始終以喬治的土地國有和單稅論為基本內容的。[54]

不過，孫中山平均地權的思想雖然主要來自亨利·喬治的理論，但在當時中國的歷史條件下，平均地權的思想體現出孫中山關切國計民生，限用地主壟斷土地的革命精神。[55]

㈢威爾確斯的全民政治論

西方政治思想家對孫中山革命主義有所影響者，真是不乏其人。除了大家所熟知的英國學者洛克（John Locke, 1632-1704）、穆勒（John Stuart Mill, 1806-1873）、盧梭（Jean Jacques Rousseau, 1712-1778），以及前述林肯的民有、民治、民享理論外，值得一提的還有威爾確斯的全民政治理論。

威爾確斯（Delos F. Wilcox）是二十世紀的美國政治學者。一九一二年，當孫中山在南京組成中華民國臨時政府時，威爾確斯出版了一部對孫中山的思想體系產生重大影響的著作——《全民政治論》（*Government by all the people*），又名《創制權、複決權、罷免權於民政之作用》（*The Initiative, Referendum and the Recall as Instrument of Democracy*）。全書對於創制權、複決權及罷免權敘述得特別詳明，尤其注重於學理的討論及實例的引證，使人們深知直接民權的潮流，已漸漸成為世界各國所共同注意而見諸於實行。[56]

《全民政治論》的核心就是宣揚民權，主張人民當家作主，參與國家的政治和管理。是書一出版，立即引起了一向對美國政治極其敏感的孫中山的注意。孫中山一方面對威爾確斯的《全民政治論》進行反覆的研究，一方面囑其子孫科儘早把它譯成中文，以便讓更多的中國讀者能夠了解全民政治的真諦。孫科因為忙於其他事務，並沒有顧得上幹這件事。最後是廖仲愷把《全民政治論》翻譯出來，並於一九一九年八月，在孫中山所創辦的《建設雜誌》創刊號上發表。[57]

孫中山一貫視爭取民權為革命的首要任務，並因此而對各國民權的內涵和實施狀況進行過專門的考察和研究，他曾這樣說：「因為我們從前是決定了中國要行民權，才去革命。所以頭一次失敗，逃亡到海外之後，極留心研究的就是民權問題。故再到美國之後，續漸實查美國的共和政治，總是見得民權大體，確是不差。其流弊無論如何，大勢總是利多害少。但是民權到底是什麼意思呢？我當時還沒有徹底研究，後來游歷歐洲，有很多的閑時間，於是決意徹底來研

---

[53] 孫中山，〈社會主義之派別及方法〉，《國父全集》，第三冊，頁一〇三。

[54] 夏良才，〈亨利．喬治的單稅論在中國〉，頁二五七。

[55] 郝平，《孫中山革命與美國》，頁二四二。

[56] 許智偉，〈西方政治思想及革命歷史對國父革命主義之影響〉，收入《孫中山先生與辛亥革命》（中華民國史料研究中心，民國七十年十二月），上冊，頁一一二。

[57] 郝平，《孫中山革命與美國》，頁二四九。

究民權問題。」❺❽

孫中山特別強調了民權所要求的平等，並不是單純地位的平等，而是人與人之間政治上的平等。他說：「……所以我們講民權，要民權平等，是要在政治上的地位平等。因為平等是人為的，不是天生的；人造的平等，只有做到政治上的地位平等，所以革命以後，各人政治上的立足點都是平等的。……至於沒有革命以前，民權不能實行的時候，各人的政治地位，始初都不平等，所以有許多人本來是很愚蠢的，因為他占有特殊的地位，便比別人高得多。像一個人在君主時代，生在皇室裡頭，做太子，無論他是怎樣愚蠢，也可以做皇帝，站在萬人之上，這才是不平等。」❺❾

對於民權在歐美各國的實行現狀，孫中山也做了客觀的分析。他特別舉美國為例，指出美國革命成功後，只得到了一種民權，就是選舉權，而且並不是人人都得到了，還有許多諸如資產和法律上的限制。就是在民權最發達的國家，也只是一半的人有選舉權。而選舉權，也只不過是民權中的一種。如果人民只有一種民權，那就不是充分的民權。孫中山認為充分的民權應該包括四種權利，即選舉權、罷免權、創制權和複決權。孫中山在這裡所提到的罷免權、創制權和複決權，就是引自威爾確斯的《全民政治論》一書，並告訴人們要想了解民權的詳細情形，「可參考廖仲愷所譯之《全民政治》。」❻⓪

孫中山對全民政治的觀念是非常贊同的。對於國事，他認為「人人皆應有治之之責，亦應負治之之責，故余極主張以民治天下。」又說：「改造真正之民國，乃全體國民之責任。」❻❶民國十三年（一九二四）孫中山北上前夕，曾發表北上宣言，提出對時局之具體主張，主張「開國民會議，由全體國民自動的去解決國事。」[62]

孫中山一再強調全民政治的重要。他說：「我們要想是真正以人民為主，造一個駕乎萬國之上的國家，必須要國家的政治做成一個全民政治。」又說：「全民政治是什麼意思呢？就是從前所講過了的，用四萬萬人來做皇帝。」因此，孫中山主張，中華民國必須是全民政治的國家，如他所說：『民國者，近之為全民政治，遠之為大同世界之精神。』所以，孫中山所要建立的民國，是一個全體人民參與政治的全民政治的民國。[63]由此可知，中山先生所以能對全民政治做出這樣的解釋，主要是受威爾確斯全民政治論的影響。

(四)鐵路建設與美國

孫中山在《建國大綱》中曾說：「建設之首要在民生。故對於全國人民之食、衣、住、行四大需要，政府當與人民協力，共謀農業之發展，以足民食；共謀製造之發達，以裕民衣；建築大計劃之各式屋舍，以樂民居；修治道路、運河，以利民行。」[64]

---

[58] 張益弘，《三民主義之考證與補遺》，轉引自郝平，《孫中山革命與美國》，頁二四九。
[59] 同前註，頁二五〇。
[60] 孫中山，〈民權主義第六講〉，《國父全集》，第一冊，頁一二八。
[61] 孫中山，〈實行三民主義及開發陽朔富源方法〉，《國父全集》，第三冊，頁二七四。
[62] 孫中山，〈中國國民已有能力解決全國一切大事〉，《國父全集》，第二冊，頁六二六。
[63] 許智偉，前引文，頁一一三。
[64] 孫中山，〈建國大綱〉，《國父全集》，第一冊，頁六二三。

中山先生讀萬卷書，行萬里路，他在數度周遊世界之後親身觀察之餘，對於交通建設之於民行，之於實業的發展，之於國家興盛的密切關係，自有深刻的體會。首先，他一再強調道路的重要，說過：「道路者，文明之母也，財富之脈也。」[65]「一國文明的起點，全在人民知道修路；若到文明大發達的時候，必然全國人民都知道修路，因為道路很利便普通人民」[66]又說：「覘人國者於其國之文明發達與否，可於其道路卜之。蓋道路不修，則交通不便，百業因之俱廢，欲求文明進步，豈可得哉！」[67]「民欲興其國，必先修其路。」[68]「開發民智，發達財富，更非有道路之交通不為功。」[69]「人而無手足，是為廢人；國而無交通，是為廢國。」[70]「人不活動，則為廢人；國之不活動，則為廢國。」[71]從這些生動的譬喻，孫中山已把交通建設的重要性說得淋漓盡致了。

交通建設又以鐵路最為重要。孫中山十分強調，「交通為實業之母，鐵道又為交通之母」。他曾說：「鐵路常為國家興盛之先驅，人民幸福之泉源也。」[72]何以故？因為「我國版圖廣濶，物藏豐富，非求開發，不足以言富強。開發之道，舍興築鐵路而莫屬。」[73]又說：「苟無鐵道，轉運無術，而工商皆廢，復何實業之可圖。」[74]因此，中國目前所急切需要著，乃交通之便。孫中山從外交與內政兩方面，闡述修築鐵路的必要。從外交方面言之，他指出「今日我國，如欲立足於世界，惟有速修鐵路，以立富強之基。今日之鐵路問題，實為中國生死存亡問題。」[75]從內政方面言之，「鐵路之建築，能使人民交接日密，祛除省見，消弭一切地方觀念之相嫉妒與反對，使之不復阻礙吾人之共同進步，以達到吾人之最終目的。」[76]孫中山最後語重心長的說出：「國家之貧富，可以鐵道之多寡定之，地方之苦樂，可以鐵道之遠近計之。」[77]憂國憂民之情，躍然紙上，快哉斯言！

以鐵道之多寡定國家之貧富，以鐵道之遠近定地方之苦樂，美國便是一個典型的成功例子。關於鐵路在美國發展中的突出作用及其對中國的啟示，清末民初許多變法理論家都給予極大的關注。鄭觀應（一八四二～一九二四）在《盛世危言》中說：「美國西北之奈山群瀕海曠遠，自設鐵路，近通東部，遙接金山，於是百貨流通，商賈輻輳，戶口陡增，百萬有奇。」又說：「美國鐵路最多，生意極廣，承辦鐵路巨商互相爭利，故新式之車日出日精，力速而車穩，價廉而工省也。」[78]

---

65 孫中山，〈地方自治開始實行法〉，《國父全集》，第二冊，頁三四七。
66 孫中山，〈修築馬路是便利交通的好方法〉，《國父全集》，第三冊，頁一二〇。
67 孫中山，〈建設以修治道路為第一要著〉，《國父全集》，第三冊，頁一七一。
68 孫中山，〈鐵路雜誌題辭〉，《國父全集》，第九冊，頁五六六。
69 孫中山，〈實行三民主義及開發陽朔富源方法〉，《國父全集》，第三冊，頁二七五。
70 孫中山，〈政見之表示〉，《國父全集》，第三冊，頁一一三。
71 孫中山，〈鐵道事業發達則國家活動自由〉，《國父全集》，第三冊，頁九四。
72 孫中山，〈中國之鐵路計劃與民生主義〉，《國父全集》，第二冊，頁二七七。
73 孫中山，〈建築鐵路目的在求富強〉，《國父全集》，第二冊，頁四八七。
74 孫中山，〈鐵路計劃〉，《國父全集》，第二冊，頁四六〇。
75 孫中山，〈速修鐵路以立富強之基〉，《國父全集》，第三冊，頁七一。
76 孫中山，〈中國之鐵路計劃與民生主義〉，《國父全集》，第二冊，頁二七六。
77 孫中山，〈鐵路計劃〉，《國父全集》，第二冊，頁四六〇。
78 《近代中國對西方及列強認識資料彙編》（中央研究院近代史研究所出版，民國七十五年八月），第三輯，第二分冊，頁五八九、五九二。

曾出使英、法、義、比四國大臣的薛福成（一八三八～一八九四）於一八七八年作〈開創中國鐵路議〉時即感慨道，美國鐵路「六通四達，……凡墾新城，闢荒地，無不歌鐵路以導其先；迨戶口多而貿易盛，又必增鐵路以善其後。開國僅百年，日長炎炎，幾與英、俄相伯仲。」崔國因不止一次談到美國的鐵路，稱他「嘗考美國之所以致富者，其開闢不過二百年耳，而日益加富，如是之速者，則鐵路之力也。統計地球鐵路，以美最多；統計地球各邦，亦以美最富。」所以，「鐵路之富國足民，實無疑義。……美國富強之驟，實本鐵路。」康有為也持類似的認識。他分析說，美國在十九世紀中葉後大修鐵路，如織絲網，縱橫午貫，「夫鐵路縮萬里為咫尺，循山川如圖畫，收遠近為比鄰，以開民智，富民生，闢地利，通商業，起工藝，省兵驛，固國防……。凡鐵路所到之處，即為文明繁盛。」正因為美國以鐵路為前導，故「闢太平洋近萬里之區，僅五十年耳，而繁富文美，甲於萬國矣！」[79]

孫中山倡導革命，除了在思想上及制度層面頗多師法歐美先進國之宏規外，他也注意到美國鐵路建設的技術層面。「民欲興其國，必先修其路。何以見之？見之於美國。」[80]這是孫中山關於鐵路建設對美國經濟發展奇蹟的重要觀察。中山先生指出，美國今日有二百二十萬里（另處為八十萬里）之鐵路，「其鐵路為世界至多，而其富強亦為世界第一」，「而且每年收入較各國為多」。他認為，在未造鐵路之前，美國的貧窮與中國相同，其西部地區也是滿目荒涼，但「鐵路一通，地勢即變。」在孫先生看來，「鐵路乃今日文明富強之利器」，「實為一切實業之母。」因此，孫中山主張，「當效法美國」，實行開放主義，吸收外資，引用外才，上下同心，積極建設鐵路，以謀國家之富強。[81]

修築鐵路既為當下刻不容緩之急務，又係民國之生死存亡問題，惟中國目前民窮財困，首先必須引進外資始能著手進行。在利用外資方面，孫中山也主張倣效美國。他以美國為例，認為「在美國富源未開發之前，連貫國疆極端之鐵路系統，大部分皆借債，利用外資敷設，但美國並未因此受害，且因此獲鉅利，臻於富強之域。」[82]

孫中山自民國初年公開向國人宣示，利用外資建築鐵路計畫後，普遍引致政界報界庸眾疑難，不但群譁驚詫，視為石破天驚，抑自此時起，全國轟動，誣稱中山先生為「孫大砲」[83]。孫中山計劃在十年內建築二十萬里鐵路，雖屬大膽設計，並呼籲國人同情其利用外資政策，實是基於深思熟慮，以求迅速把中華民國建設成一個現代富強的國家。徐高阮對孫中山的利用外資政策，有很精闢的詮釋，他指出，「中山先生的利用外資政策不是仰望政治借款；不是依賴經濟援助；不是漫然空想吸收一些外國資本；不是給予一些外國工商家以特殊的投資權利；不是尋求點綴式的技術合作；不是以某一些特殊資源引動某一外國工程家或投資家的特殊興趣。他的政策是一個中外互利的大道；是中國高度開發的唯一方法；是一個極大膽的、全面的、充分利用外國資本和人才的政策；是有一個物質建設的龐大計劃而要把它整個付託給外國的投資

---

79 楊玉聖，〈孫中山先生的美國觀——一個比較分析〉，頁六七。
80 孫中山，〈鐵路雜誌題辭〉，《國父全集》，第九冊，頁五六六。
81 楊玉聖，〈孫中山先生的美國觀——一個比較分析〉，頁六七。
82 孫中山，〈中國之鐵路計劃與民生主義〉，《國父全集》，第二冊，頁二七八。
83 李雲漢、王爾敏、于宗先等合著，《中山先生民生主義正解》（臺灣書店，民國九十年九月），頁二〇九。

與人才的經營；是要利用外國的雄厚資本、高等人才、最新技術，達成中國的全面、迅速、高度工業化。」[84]空谷足音，中山先生地下有知，可以告慰矣！

[84] 徐高阮著，《中山先生全面利用外資政策》，轉引自王爾敏，〈評介徐高阮著：《中山先生的全面利用外資政策》〉，香港《珠海學報》，第十三期（民國七十一年十一月），頁二二八。

第二章　中山先生的革命與美國

第一節　革命策源地——檀香山

孫中山早期的革命活動開始於夏威夷。孫中山的推翻滿清而組織的第一個革命團體——興中會，首先在火奴魯魯（Honolulu，華僑稱之為檀香山）成立。所以，檀香山又被稱為革命的策源地。

夏威夷是美國的第五十個州。它位於太平洋的中心，由一系列大小不等的八個島組成。總面積二萬八千餘平方公里，約中國海南島面積的三分之二。人口約一一〇多萬，其中華僑和華人六萬八千八百零四人（根據一九九〇年美國人口普查資料）。這裡氣候溫暖，風調雨順，一望無際的藍色的大海環繞海島，秀麗的山峰和峭壁樹立在海邊，風景如畫。熱帶森林，一片蔥綠，奇花異草，鳥語花香，不愧為世界上著名的旅遊聖地。❶

❶ 馬兗生，《孫中山在夏威夷：活動和追隨者》（近代中國出版社，民國八十九年八月），前言，頁一。

孫中山出生在廣東省香山縣大都鄉翠亨村。許多大都鄉人都到夏威夷謀生。孫中山在夏威夷有許多親戚。如：孫的母舅楊文納早年到夏威夷經商；孫中山的姐姐孫妙茜的丈夫楊紫輝和孫中山的堂妹孫緞都曾住在夏威夷；孫緞的女兒陳淑英後來同孫中山的兒子孫科結婚。❷

中山先生能到國外求學開拓他求知的領域，與他長兄孫眉（德彰）的早年移民夏威夷大有關係。孫眉比中山先生大十二歲，體格很強壯，頭腦也很聰慧，但是自小不肯念書，總是喜歡在外面遊玩。楊太夫人有位胞弟楊文納在檀香山經商，有事回到家鄉，孫父達成先生就請楊文納帶孫眉到檀香山去另創天下。一八七一年，孫眉便隨著他的母舅去了檀香山，這年他十八歲。孫眉初至檀島，是幫人耕作。不久即向當地政府領地開墾，有了一些積蓄，便租得茂宜（Maui）島濱海之地，廣事畜牧種植，漸至富有。在一八七七年秋，翠亨的家中接到孫眉的來信，詳述島中政俗優良，土地肥沃，所經營的事業，非常順利。這年中山先生十二歲，讀了長兄的來信，不禁興起出洋之志。第二年（一八七八）的冬天，孫眉回到翠亨村，他不但賺了很多的金錢，而且有了知識和經驗，對於西方文明的優點說得頭頭是道，娓娓談述海外風土人情和社會的習俗，稱讚那裡的沙灘有如黃金，海水有如青靛，只要努力工作，人人都可發財。他這次回來，除了完婚之外，還應當地政府的委託，大事招徠華人，到檀香山去開墾。中山先生很想隨著長兄去檀香山，但是父親不願他去冒險。因此，這次沒有去成。大約幾個月之後，一個意外的機會來到了。就是孫眉的合夥人雇了一艘二千噸的英國輪船格蘭諾號（S.S. Gramnock），運送他們招募的華工到檀香山。中山先生又向父母提出要搭這艘船出洋的要求。同時，楊太夫人也想去看看長子在海外的事業。於是在一八七九年六月，年僅十四歲的孫中山終於隨著母親離開了翠亨村。

他們先到澳門，登上格蘭諾號，乘風破浪，駛向太平洋。❸

孫中山初到檀香山，在大哥店裡幫工，學習當地土著的方言與中國式的記帳和珠算，但苦無學習英語的機會。他覺得店中的事務沒有趣味，渴望得到一種用英語做基礎的教育，孫眉為了滿足他的願望，便送他進入當地的意奧蘭尼學校（Iolaani School）就讀。意奧蘭尼學校是一八六二年由英國聖公會史泰利主教（Bishop Staley）所創辦。一八七二年韋禮士主教（Rt. Rev. Alfred Willis）接辦。宗旨在培養夏威夷土人子弟及混血種的當地學生，其後兼收東亞學生。相當於小學程度，校舍不甚寬敞，但教學認真，管理嚴格，全校的教師除了一位教授基本英語的教師是夏威夷人外，都是英國人。因此，整個學校的環境都表現強烈的英國色彩。❹意奧蘭尼學校既是一個教會學校，學生必修聖經，早晚在學校教堂祈禱，每星期日則到火奴魯魯城裡的教堂，即今日的聖安德魯教堂（St. Andrew's Cathedral）做禮拜。當時的校長韋禮士主教很器重孫中山，曾邀其同桌共食，講授聖經。孫中山在基督教的教義中吸取到很多的理想，如平等、博愛等，對他的思想有很大的影響。❺

孫中山自一八七九年秋進入意奧蘭尼學校就讀，到一八八二年七月畢業，計為時三年。由

---

❷ 同前書，頁二。

❸ 蔣永敬，〈孫中山先生的革命思想〉，《中華民國建國史》（教育部主編，國立編譯館出版，民國七十四年四月），第一篇革命開國(一)，頁一四〇—一四一。

❹ 同前註，頁一四一—一四二。

❺ 馬兗生，前引書，頁十五—十七。

於他的勤奮學習，天資又高，所以在一八八二年七月二十七日的畢業典禮中，以英語文法考試名列第二獲獎，由國王卡拉卡瓦（David Kalakaua）親自頒獎，華僑社會引為莫大的光榮。

在這三年的西方新式教育和當時夏威夷的環境，對於中山先生身心的發展和影響是很重要的。民國元年五月七日，孫中山在廣州嶺南學堂的一次講演中曾有如下之回憶：「憶吾幼年，從學村塾，僅識之無。不數年得至檀香山，就傳西校，見其教法之善，遠勝吾鄉，故每課暇，輒與同國同學諸人，相談衷曲，而改良祖國，拯救同群之願，於是乎生。」❻

另一方面，在孫中山就讀意奧蘭尼學校的三年期間，也正是夏威夷政治經濟激盪轉變的時期，中山先生耳聞目睹之下，自會產生不同的感受，誠如陳少白所指出，當孫先生在檀香山的時候，夏威夷群島還是一個獨立的小國，沒有被美國吞併，由一個夏威夷王管理群島的行政事務。這個夏威夷島既是總埠，實在也是皇城的所在地，所以孫先生常常說：「在美國三藩市僑居的中國人，一點政治思想都沒有，這是因為華盛頓京城在東，三藩市商埠在西，對於政治方面很少接觸的緣故。而在檀香山的就不然，大埠就是京城，天天所見所聞，都是關於政治方面的事，所以中國僑民差不多個個有些政治思想。」並且那時美國常常想把夏威夷島合併，夏威夷群島的人民就天天在那裡反抗。僑民看慣這種事情，當然更大受影響，尤其是抱有革命思想的孫先生。❼

美國學者史扶鄰（Harold Z. Schiffrin）甚至認為，「在英國聖公會教士韋禮士主教主持下的意奧蘭尼學校卻是反美和反吞併主義情緒的堡壘。」「如果說孫中山這時耳濡目染的是盎格魯撒克遜人的立憲政府觀念，是英國人民長期反對專制勢力的鬥爭故事。……由於意奧蘭尼學校支持夏威夷的獨立事業，抨擊親美的吞併主義者的陰謀，因此，它也許應對孫中山後來產生亞洲人必須抵抗西方侵略的政治觀念負責。」❽

在一八八二年夏季畢業後，孫中山接著進入普納胡學校（Punahou，當時叫 Oahu College）繼續升學。此為當時檀島的最高學府，採美國制度，設備完善，學生約千人。在普納胡學校，孫中山結交了一位教師芙蘭諦文（Francis Darnon）。諦文是基督教教會工作人員，曾到過廣州。他對孫中山很器重，兩人成為莫逆之交。以後，諦文大力支持孫中山的革命活動。孫中山在該校讀了一個學期，原想繼續讀完高中，再到美國升大學。但孫眉認為他已經受到足夠的教育，不必再多上學。再者，孫中山這時表示想受洗禮做基督教徒。孫眉知道後，大為不滿，寫信回國稟告老父召他回家鄉。一八八三年七月，在夏威夷住了四年多後，孫中山終於遵從父兄的決定，搭船離開夏威夷，返回故鄉。❾

夏威夷可以說是孫中山的「第二故鄉」，綜中山先生一生，曾經六訪夏威夷。其中最重要而關鍵的一次，便是一八九四年的第三次訪問夏威夷，在此成立了興中會，這是近代中國的第

❻ 孫中山，〈非學問無以建設〉，《國父全集》，第三冊，頁四九。

❼ 陳少白，《興中會革命史要》，轉引自《中華民國開國五十年文獻》，第一編第九冊，《革命之倡導與發展——興中會》，頁九一—九二。

❽ 史扶鄰著，邱權政等譯，《孫中山與中國革命的起源》（北京中國社會科學出版社，一九八一年六月），頁十一—二。

❾ 馬兗生，前引書，頁十一—四。

一個革命團體，檀香山因此成為革命的策源地。

此前孫中山在廣州和香港進醫學院學習，結交有志青年，議論國家大事，探討改革中國社會的途徑，推翻滿清王朝的思想逐漸成熟。一八九四年六月，孫中山到天津上書李鴻章失敗後，「於是撫然長嘆，知和平之法無可復使」。同年，中日甲午之戰爆發，清軍大敗，割地求和。孫認為清廷已無可救藥，必須推翻滿清，才能救中國。但是經費缺乏，無法購械起義。他想到夏威夷是舊游和求學的地方，那裡親友較多，於是決定先到夏威夷籌款。一八九四年十月，孫中山回到檀香山，宣傳革命。那時革命風氣未開，華僑尚未覺悟，許多人聽到孫中山宣傳推翻滿清政府，心存疑懼，有些親戚故舊多避開。據聞孫中山在火奴魯魯的中國城街上走過，有的華僑在他背後指指點點，叫他「瘋子」。⑩

在「風氣未開，人心錮塞」之下，經孫中山多方游說，奔走逾月，應者寥寥，僅得鄧蔭南與胞兄德彰二人願傾家相助，及其他親友數十人之贊同而已。十一月二十四日檀香山興中會開成立會，地點原定在卑涉銀行（Bishop Bank）經理何寬家（愛瑪巷一四〇號）。嗣因場地狹小，移李昌家中（同巷一五七號）舉行。孫中山任主席，出席者有何寬（一八六一—一九三二）、李昌（一八五一—一九一二）、李祿、李多馬（一八五〇—？）、李杞、宋居仁（一八五四—一九三七）、卓海（一八六三—？）、林鑑泉、侯艾泉、夏百子、陳南、曹采、許藹（直臣，一八六七—一九四九）、黃亮、黃華恢、程蔚南、鄧松盛（蔭南）、鄭金（一八六五—一九一四）、鄭照（一八七〇—一九五九）、劉照、劉卓、劉祥、劉新壽、鍾工宇（一八六五—一九六一）、鍾木賢（？—一九二二）等二十餘人。主席提議定名曰「興中會」，規定振興中華挽救危局為宗旨，並宣佈所起草章程九條，眾無異議。是為興中會成立後第一份正式革命文獻。「章程」有一段引言，說明革命的背景：

中國積弱非一日矣，上則因循苟且，粉飾虛張；下則蒙昧無知，鮮能遠慮。近之辱國喪師，強藩壓境，堂堂華夏，不齒於鄰邦，文物冠裳，被輕於異族。有志之士，能無撫膺？夫以四百兆蒼生之眾，數萬里土地之饒，固可發奮為雄，無敵於天下；乃以庸奴誤國，荼毒蒼生，一蹶不興，如斯之極！方今強鄰環列，虎視鷹瞵，久垂涎於中華五金之富，物產之饒。蠶食鯨吞，已效尤於踵接；瓜分豆剖，實堪慮於目前。有心人不禁大聲疾呼，亟拯斯民於水火，切扶大廈之將傾。用特集會眾以興中，協賢豪而共濟，抒此時艱，奠我中夏。仰諸同志，盍自勉旃。

章程中列舉規條九項，明定立會的宗旨、會費、組織、會議等項，其全文為：

一、是會之設，專為振興中華維持國體起見，蓋我中華受外國欺凌，已非一日，皆由內外隔絕，上下之情罔通，國體抑損而不知，子民受制而無告，苦厄日深，為害何極！茲特聯絡中外華人，創興是會，以申民志，而扶國宗。

一、凡入會之人，每名捐會底銀五元；另有義捐，以助經費，隨人惟力是視，務宜踴躍

⑩ 同前註，頁一九—二〇。

赴義。

一、本會公舉正副主席各一位，正副文案各一位，管庫一位，值理八位，差委二位，以專司理會中事務。

一、每逢禮拜四晚，本會集議一次，正副主席必要一位赴會，方能開議。

一、凡會中所收會底各銀，必要由管庫存貯妥當，或貯銀行，以備有事調用。惟管庫須有殷商二名擔保，以昭鄭重。

一、凡會中捐助各銀，皆為幫助國家之用，在此外不得動支，以省浮費。如或會中偶遇別事，要用小費者，可由會友集議妥允，然後支給。

一、凡新入會者，須要會友一位引薦擔保，方得准他入會。

一、凡會內所議各事，當照捨少從多之例而行，以昭公允。

一、凡以上所訂規條，各友須要恪守；倘有善法，亦可隨時當眾議訂加增，以臻完美。[11]

會中並公推職員，選劉祥、何寬為正副主席，程蔚南、許薸為正副文案，黃華恢為管庫，李昌、李祿、李多馬、林鑑南、黃亮、鄭金、鄧松盛為值理。會畢，孫中山令各會員填寫入會盟書。宣誓時，由李昌朗誦誓詞，各以左手置耶教聖經上，舉右手向天，依次讀之，如儀而散。自是會員四出運動遊說，相繼入會者有尹煜傳、古義、伍雲生、李光輝、容吉兆、孫眉（一八五四—一九一四）、藍望華、陸燦（一八七四—一九五二）、張福如、許帝有、葉桂芳（一八七三—一九三五）、程祖安、楊文納、鄭發、衛積益、簡永照等九十餘人，總計自一八九四至一八九五年間

在夏威夷入會有姓名可查者一百二十六人。⓬

興中會在檀香山成立後，會員宋居仁和李昌秘密到茂宜島的卡胡盧，說服孫眉參加興中會。孫眉當時已傾向革命，欣然擔任興中會茂宜分會的主席，還介紹好友鄧蔭南參加。鄧蔭南住在茂宜島的巴伊埠（Paia），當即成立興中會巴伊分會，並擔任會長。在興中會進支數簿中，交會費的茂宜分會會員有十四人，巴伊分會有十五人。⓭

至此，由孫中山在艱苦環境中手創的檀香山興中會，無異點起革命的第一把火炬，它蓄勢待發，隨著世界革命潮流浩浩蕩蕩前進，將締造前仆後繼的光輝歷史新頁。

第二節　革命香火在美國

據張玉法的研究，興中會自成立以迄一八九五年廣州之役以後，可以說是一個有名無實的團體，在發展組織上並無很大的成果。其原因約有以下數點：

㈠革命領袖不曾與國內秘密社會建立深厚的關係，在民間亦無基礎可言。自一八九五年廣

⓫ 馮自由，《革命逸史》（臺灣商務印書館，民國六十一年一月臺二版），第四集，頁五—六。

⓬ 張玉法，《清季的革命團體》，中央研究院近代史研究所專刊(32)（民國六十四年二月），頁一六〇。

⓭ 馬兗生，前引書，頁二五。

州事敗，孫中山、陳少白、楊衢雲等亡命海外，臨時約集的革命勢力即告星散。

㈡華僑社會風氣未開，保皇會人又大事活躍，追隨康梁倡言改革者多，敢言革命者少。

㈢留學界勢力方興，多有地域之見，興中會看來很像是廣東人的組織，外省人參加者不多。

㈣孫中山的革命運動自始即依恃強有力的個人領導，不甚重視組織的控制，組織常隨他所至而建立，又隨他去後而消散。⓮

從孫中山個人的行蹤看來，他也沒有著意於興中會組織的發展，他的主要精力，用在革命同志的網羅、革命經費的籌集，以及革命理論的建立上。自一八九五年亡命海外，由日本而檀香山，而美國，而英國。一八九六年十月，在倫敦的清史館誘禁十二日，轟動英國朝野。是後即常赴大英博物館研究革命問題，為期八個月之久。其三民主義之理論即於此期完成。一八九七年夏，孫自歐洲經加拿大至日本，是後數年，即著意與日本朝野聯絡，與菲律賓革命黨人聯絡，並謀與保皇派合作。值得注意的是，自一八九六年以後，孫中山已很少以興中會的名義號召同志。間或用之，亦無大成就。⓯

雖則如此，興中會的革命香火，仍隨著孫中山和革命黨人的行蹤傳遞到世界各地，除相繼成立香港興中會、橫濱分會、南非分會、臺灣分會、河內分會外，在美國的組織發展亦為當務之急，茲分述如下：

㈠檀香山興中會之復興

一八九六年一月，孫中山第四次踏上檀香山的土地。在孫中山離開檀香山的這段時間，檀香山興中會由於沒有一位像樣的領導人而使得工作一直比較鬆散。廣州起義的失敗，同樣使得一些興中會的成員士氣受到影響。見到這種情況，孫中山非常焦急，決定重新整頓檀香山興中會。

當時，檀香山有兩個組織引起了孫中山的注意。一個是比興中會成立還早一年的「中西擴論會」，一個是「隆記報館」。「中西擴論會」是一八九三年由何寬、鄭金等人所發起，以研究和交流學術知識為宗旨的一個學術性組織。這個組織的成員人數眾多，個個朝氣蓬勃，有強烈的進取心，且大多是興中會會員，曾推舉孫中山為學會的名譽會長。「隆記報館」則是孫中山的親戚程蔚南在一八八三年創辦的一家中文報館，發行一份名為《檀山新報》（*Hawaii Chinese News*）[16]的報紙。

孫中山把加強這兩個組織，做為重振興中會的切入口。《檀山新報》本來沒有任何政治色彩，在孫中山的建議下，報館聘請何寬為協理，李昌為翻譯，使該報成為興中會的喉舌。同時，

---

[14] 張玉法，《清季的革命團體》，頁一七三。

[15] 同前註，頁一七四。

[16] 一八八三年三月十六日在檀香山創刊，由隆記報館發行，為當地僑商盧哲二、程蔚南、歐觀焯等集資創辦，後程蔚南購得大部股份。初為石印周刊，每期出對開一張兩版，一八九九年由香港興中會資助而購得舊鉛印設備後改為鉛印周二刊，每期出對開四版，後又改為周三刊。以報導當地各業行情為主，並酌情刊登中國大陸，尤其是僑鄉的消息，同時還刊登廣告。參閱周南京主編，《華僑華人百科全書》（中國華僑出版社），新聞出版卷（一九九九年五月），頁三五七；張磊主編，《孫中山辭典》（廣東人民出版社，一九九四年九月），頁七七九。

孫中山還把興中會的機關設在報館內，並說服「中西擴論會」，將「隆記報館」做為活動場所。一時間，「隆記報館」成為檀香山華僑的一個文化活動中心，一些有志青年常在此聚會，議論時事。檀香山興中會也由此吸收了不少新會員，反清革命的力量逐漸擴大。

此外，有鑒於廣州起義的失敗，孫中山認識到擁有一批訓練有素的軍事幹部，將對以後的革命成功具有極其重要的意義。他決定創辦一個「練兵會」。得知這個消息後，一位曾在中國擔任過南洋練兵教習的丹麥軍官巴奇（Yictor Bache），出於對孫中山的欽佩和對中國革命的同情，自願要求出任該會的義務軍事教練。於是，興中會的二十多位成員假芙蘭諦文「尋真書院」（Mill's School）的操場為基地，以木棍代替槍枝，每星期參加兩次軍訓。孫中山也經常參加軍事操練。⑰

㈡舊金山分會

為了擴大革命影響，尋求更廣泛的支持，孫中山決定實現他訪問美國本土的夙願。他選擇的第一個目的地是舊金山，因為舊金山是中國勞工進入美國本土的第一站，所以也是美國華僑人數最多的城市。

一八九六年六月十八日，孫中山乘船抵達舊金山。⑱借住在薩克拉門托街（Sacramento Street）七〇六號一位華商開的「聯勝雜貨店」裡。孫中山此時尚未加盟於洪門團體，全憑教會教友關係，一有機會就對華僑宣傳反清革命的要點，懇請華僑支援革命，推翻清朝統治。但一來由於當時美國正在經歷一場排華浪潮，華僑的就業和生存都受到嚴重的威脅，自無暇顧及遠在萬里之外國內發生的事情。⑲二來洪門各團體視孫中山如同路人，並未出力相助。因此孫中山居舊金山一月有餘，成立興中會，參加者僅有馬錦興、譚真謀、陳翰芬、劉明德、陳省微、雷欣、毛基、鄺華汰、嚴俊升、梁廷美、陳吉初、黃寶安、鄺錦潤、歐陽琴軒等十餘人，以教會人士佔多數。[20]最後，孫中山鑒於革命宣傳收效不大，乃將興中會事務委託鄺華汰辦理，決定離開舊金山，乘火車自西向東，橫渡美洲大陸，沿途訪問一些城市，逗留時日不等，繼續宣傳他的革命。無奈「勸者諄諄，聽者終歸藐藐，其歡迎革命主義者，每埠不過數人或十餘人而已！」可見孫中山雖然在檀香山擎起第一把革命火炬，但意欲尋求在美華僑大力支持的願望，一時尚難實現！

㈢中山先生與洪門關係

孫中山這次在訪美宣傳革命的過程中，雖然收效甚微，卻有一個極為重要的發現，那就是在美國華僑中不乏反清團體，其中以洪門致公堂勢力為最大，會員亦最眾。因此，讓孫中山認識到，要想使革命的宣傳深入人心，必須與一切堅持反清立場的社會團體和會黨廣為結交。[21]美國華僑社會中之有洪門致公堂，其前身是三點會。三點會乃三合會之通稱，原創自國內。

⑰ 郝平，《孫中山革命與美國》（北京大學出版社，二〇〇〇年二月），頁八五—八六。
⑱ 陳錫祺主編，《孫中山年譜長編》，上冊，頁一〇八。
⑲ 郝平，前引書，頁八七。
⑳ 劉伯驥，《美國華僑史》（黎明文化事業公司，民國六十五年六月），頁四三〇—一。
㉑ 郝平，前引書，頁八八。

洪門即三點會，三合、哥老兩會，皆其支派，為反清復明的秘密組織。其傳入美國，始於咸豐初年。傳入的洪門，是十二梯，名洪順堂，或金蘭郡。洪順堂分裂為若干堂頭，如致公堂、義興會、三點會等，其中以致公堂的勢力最為雄厚。當其盛時，各埠多有分堂，乃將美國分為九區，每區有一首府，對其活動，做有效的控制。故全美華僑列名於洪門者，十之八九。原為三點會份子，又因地域關係而分為其他團體，一八五二年四邑人所立者曰廣德堂，以後三邑人所立者曰協義堂，香山人所立者曰丹山堂，為早期三點會支部之一，亦隸屬於致公堂。美東洪順堂，設在費城雷斯街（Race Street），支部分設於紐約、波士頓及巴的摩爾（Baltimore），皆遵照三點會的傳統儀式，開山立堂，通稱為義興會。但紐約的山堂稱聯義堂，在費城、芝加哥與聖路易，仍稱為洪順堂。舊金山的致公堂，或稱義興公司，大佬為黃三德，為全堂之盟主，隨時可開臺演戲，招收壯丁。三德既握有該堂之實力，而頗有正義感，不忘反清復明之旨，故孫中山在美策動革命運動之初，藉其臂助甚大。㉒

興中會成立後，革命運動逐漸展開，不少革命黨人投入會黨，從中聯絡；亦有不少會黨與革命勢力合流。兩者的結合，使得許多反滿事件都具有新的意義。聯絡會黨的各派革命志士，在廣東有鄭士良、陳少白、謝纘泰、洪全福，在兩湖有畢永年、平山周、劉揆一、黃興，在浙江有徐錫麟、秋瑾、龔寶銓、陶成章。為聯絡會黨方便起見，孫中山於一九〇三年在檀香山加入洪門組織。㉓

在夏威夷，洪門組織有三個：最大的一個叫國安會館。單在檀香山一地便有會員五千人。另兩個是崇正會館和致公堂。這些團體已經不是秘密結社，而是一般的僑團組織。孫中山的母舅楊文納在夏威夷多年，經驗豐富。他對孫中山說，第一次孫去美國在華僑中宣傳革命，之所以成效不大，乃因為沒有僑團關係，無法聯繫大部分華僑。如孫加入洪門的組織，就同洪門組織的會員成為兄弟，可以通過洪門組織聯繫廣大華僑群眾。因此，孫中山於一九〇三年十一月二十四日加入國安會館，被封為「洪棍（元帥）」。國安會館有一本會員名冊，登記近百年來每一個入會會員的名字和保薦人，其中有孫中山入會的日期和保薦人。孫中山的入會保薦人是鍾國柱。鍾國柱又名鍾木賢，他是夏威夷僑領和富商，也是興中會的會員。㉔

從上述可知，孫中山之加入洪門，首先是由母舅楊文納所建議，後來由鍾木賢做入門保薦人。但據黃三德的《洪門革命史》回憶，孫中山之加入洪門，是由他本人先寫介紹函，寄到檀香山正埠國安會館各昆仲，才准中山先生加盟的。孫中山曾在五祖像前發三十六誓，願遵守洪門二十一條例，於是榮膺「洪根」封號。總之，黃三德在書中大言不慚地說，孫中山之所以能加入洪門，完全是他一手策劃的。㉕

按黃三德，係廣東臺山縣石板潭鄉人，家世業農，移美後在洪門中很快闖出名號來。剛滿

㉒ 劉伯驥，前引書，頁四二七—四三〇。

㉓ 張玉法，《辛亥革命史論》（三民書局，民國八十二年一月），頁二二七—二二八。

㉔ 馬兗生，前引書，頁五七—五八。

㉕ 蔡石山，〈美洲洪門與孫中山先生領導的革命事業〉，張希哲、陳三井主編，《華僑與孫中山先生領導的國民革命學術研討會論文集》（國史館印行，民國八十六年八月），頁五〇八。

三十三歲（一八九七）便當上舊金山致公堂盟長。四十四歲被推為致公堂大佬。[26]洪門致公堂的聲勢雖然浩大，但孫中山第一次踏上舊金山時尚未加盟，故洪門對革命組黨響應者少，黃三德等人對孫中山有所幫助，亦係出於個人情誼。及至孫中山於一九〇四年再度訪美時，情況便大有不同。當時孫中山赴美的入境證，係「檀香山出生證明書」，依法舊金山海關不得禁其入境。惟檀島保皇會幹部，深恐孫中山到美，勢必無情抨擊維新保皇運動，保皇會在美勢力可能被其瓦解，因電海關中籍隸保皇會的華人譯員，設法阻其上岸，彼等遂商諸清廷駐地領事何祐，何乃告密移民局，謂孫某係中國亂黨，持偽證來美，為顧全兩國邦交，請禁其入境。孫中山因被阻船上一夜，次日移送移民局候審所，囚於港口木屋中。後經訊問，判其原船發回檀島。孫中山焦急異常，深恐不得入境，則前功盡棄。但終得致公堂領袖黃三德、唐瓊昌和伍盤照等的救助，致公堂律師斯直格（O.P. Stidger）的力爭，乃得放行入境。孫中山獲准入境後，致公堂人士極表熱誠歡迎，黃三德等領導份子的招待，尤為殷勤。孫中山為求擴大革命的宣傳，鼓動革命的風潮，徵得黃三德等的同意，由《中西日報》印行鄒容所著《革命軍》一萬一千冊，分寄美洲和南洋各地，擴大宣傳，加深僑胞對革命真理的認識。舊金山熱心同志，得孫中山的激勵和《革命軍》的啟導，革命精神大振，孫中山乃在士作頓街（Stockton Street）華人長老會之正道會所，召開救國會議，推由加州大學教授鄺華汰為主席，說明革命的大義，研商救國的方案，並當場出售「革命軍需債券」，得款二千七百餘元，其後鄺華汰在柏克萊（Berkeley）募得一千三百餘元。後來孫中山與黃三德訪問全美各地，聯絡僑胞，策動革命的費用，即從此款支出。[27]

美國洪門致公堂，雖然盟員眾多，組織普遍，然而內部複雜，除少數熱心人士外，大都缺乏遠大眼光，泥守積習，各分堂對於總堂的關係，也都陽奉陰違，有名無實，尤以美東各埠的尤甚，且受保皇會的滲透，即反清的原旨，亦甚模糊。孫中山既然身為洪門的要角之一，對此自難長期容忍，因有整頓堂務，舉行洪門會員重新總註冊之議。中山先生曾說：「在美洪門會員，既有十數萬人，若能重新舉行登記，不獨足以鞏固團體，回復威信，且可藉此收集鉅款，為致公堂基金及協助國內同志起義之需。」致公堂的負責各職員，對此咸表贊同，乃由孫中山草擬「致公堂重訂新章要義」一文，闡明洪門的宗旨大義，與重新總註冊的重要，並訂定新章程八章六十七條，其第一章綱領項下第二條曰：「本堂以驅除韃虜，恢復中華，創立民國，平均地權為宗旨。」第四條則規定：「凡國人所立各會堂，其宗旨與本堂相同者，本堂當認作益友，互相提攜，其宗旨與本堂相反者，本堂當視為公敵，不得附和。」致公堂的章程如此改訂後，則其目標實與國民革命無異，全美十數萬會員便皆服膺於國民革命，對革命大業的開展，助益之鉅，自不待言。㉘

致公堂的新章程確定後，孫中山便偕同大佬黃三德訪問美國各地數十城市，包括紐約、費城、華盛頓、巴的摩爾、芝加哥、匹茲堡、聖路易、洛杉磯、亞特蘭大等，歷時半年之久。所到各埠，黃三德便大放洪門（即開檯演戲，招收會員拜盟行禮），孫中山則把握機會，發表演說，強

㉖ 同前註。
㉗ 陳裕清，〈美國華僑與國民革命〉，收入《孫中山先生與辛亥革命》（中華民國史料研究中心，民國七十年十二月），下冊，頁一四二九—三〇。
㉘ 同前註，頁一四三〇；劉伯驥，《美國華僑史》，頁四三二—三七。

調反清復明和革命救國的大旨，號召僑胞奮起，挽救國家的危局。㉙

第三節 革命組織與宣傳

革命宣傳為革命運動所不可或缺的活動，至少與革命組織和革命起事同等重要。尤其在興中會時期，革命運動方興，必先透過宣傳的力量，始能喚起全國民眾的覺醒，鼓動風潮，造成時勢，使革命力量壯大，藉收革命的最大效果。

論革命宣傳，大抵可分為口頭宣傳與文字宣傳兩種。孫中山在求學時代即以學堂為鼓吹革命之地，及完成學業之後，藉醫術為入世之媒，在香港、澳門一帶從事革命活動，直至興中會成立這一段漫長的革命言論時代，大抵都是屬於口頭宣傳的時期。㉚文字宣傳包括出版書刊小冊，發行報紙雜誌，印發傳單等，其影響「較軍事實行之工作為有力而且普遍」，㉛尤以具有「直接登載」，每日可「傳誦一時」特性的報紙，最能打動人心。中山先生領導革命，不但認識到宣傳的重要，更認識到報紙既可「開通民智」，又為「輿論之母」的重要性。他深知要革命成功，非靠宣傳的力量不可；而要宣傳成功，更非靠報紙發揮作用不可。㉜

㈠興中會時期的革命宣傳

孫中山自成立檀香山興中會後，在美的革命組織活動，已如前節所述，此處專論在美的革命宣傳。

一八九四年中日戰起，孫中山赴檀香山鼓吹革命，並組織興中會。歸國途中，於橫濱船上演說革命，得與陳清相識，奠定了橫濱興中會的基礎。翌年廣州之役失敗，孫中山亡命海外，經日本、檀香山赴美洲。孫自舊金山登陸，橫貫美洲大陸抵紐約，「所至皆說以祖國危亡、清政腐敗，非從民族根本改革，無以救亡」，然其時風氣未開，歡迎革命者，每埠不過數人或十餘人而已。[33]

一九〇〇年以後，革命風氣漸開。一九〇三年九月孫中山第五次訪問夏威夷。同年十二月，孫中山應夏威夷島（又叫大島）希爐埠的一位基督教牧師毛文明的邀請，到希爐埠去演講。毛文明在國內參加興中會，於一九〇〇年與史堅如烈士共同策劃，轟炸廣州總督署。失敗後，輾轉逃亡到希爐埠，繼續傳道，深得當地華僑的信任。他一見孫到夏威夷，便聯合僑領黎協一起邀請孫到希爐埠演講。孫在希爐的日本戲院演講，宣傳革命，數百聽眾熱烈歡迎孫中山的講話。會後，成立了希爐埠的第一個革命團體。因為興中會已被保皇派把持，所以孫就不用興中會的

[29] 陳裕清，前引文，頁一四三一；劉伯驥，前引書，頁四三八。

[30] 兀冰峰，《清末革命與君憲的論爭》（中央研究院近代史研究所專刊⒆，民國五十五年十二月），頁一〇六。

[31] 馮自由，《革命逸史》（商務印書館人人文庫，民國六十一年一月），第三集，頁一三九。

[32] 陳三井，〈香港《中國日報》的革命宣傳〉，《珠海學報》第十三期（香港珠海書院，民國七十一年十一月），頁七九。

[33] 孫中山，《孫文學說》第八章〈有志竟成〉，《國父全集》，第一冊，頁四一一。

名義而給新組織起名為「中華革命軍」。繼孫中山在希爐埠第一次對海外僑胞公開演說之後，十二月十三日，他又應李昌、鄭金的邀請，回到檀香山在中國城荷梯厘街（Hotel Street）戲院演講。據當地英文報紙《太平洋商業廣告報》（*Honolulu Pacific Commercial Advertiser*）翌日報導說，戲院裡人們擠得水泄不通，走廊、通道，連臺上都站滿了人。聽眾上千人，情緒極為熱烈。孫中山的演講經常被熱烈的鼓掌聲打斷。報導還說：「孫中山是一個傑出的演說家，他能極好地掌握群眾的情緒。孫中山不是那種狂熱分子。他是冷靜、有條理的思想家。他是天生的領袖人物。」㉞

孫中山除了使用最方便，也是最親切的口頭宣傳外，更為重視文字宣傳，特別是報紙的作用。報刊的宣傳效果，尤在口頭宣傳之上。在興中會時代，與孫中山直接有關的報刊主要有兩個，即《隆記報》與《大同日報》，其中當然涉及與保皇派的論戰。

自梁啟超被康有為勒令赴檀之後，一面辦理會務，一面與陳繼儼（儀侃）創辦報館，一九〇二年保皇黨的機關報——《新中國報》，便在檀香山出版，大倡保皇立憲之說，檀島各報都噤若寒蟬，不敢反抗。中山先生抵檀之後，《新中國報》便著文醜詆革命黨，並涉及孫中山個人。當時在檀香山有一家老報紙，叫做《檀香山新報》，又名《隆記報》（它的原名是《檀香山新報隆記》（*The Hawaiian Chinese News*）），為香山人程蔚南所經營，程與孫中山略有戚誼，且為興中會的老會員，於是中山先生便將《隆記報》改為興中會的機關報，並親自撰文與《新中國報》論戰。㉟夏威夷各島僑胞自有此報鼓吹革命，耳目為之一新，而一度為保皇會所奪的興中會勢力，亦漸復興。㊱

《大同日報》（*Chinese Free Press*）為美國洪門致公堂的機關報，發刊於一九〇一至一九〇二年之間，為康門大弟子歐榘甲所創辦。歐榘甲早在家鄉時即已加入洪門會，到舊金山後利用此種關係與致公堂會員往來，挑著「名為保皇，實則革命」的幌子，謂與洪門反清復明的宗旨相符，彼此應合作救國，於是說動了黃三德與唐瓊昌，創辦《大同日報》為洪門會的喉舌。歐榘甲在創刊號上特撰〈大同日報緣起〉一文，說明洪門會（義興公司）的宗旨在於反清復明，愛國愛種，《大同日報》即在發揚此種宗旨，雖文末伏有保皇立憲的語意，但就全文觀之，卻充滿了種族革命的思想。此外，歐氏並以「太平洋客」筆名，發表〈新廣東〉的長文，鼓吹廣東為廣東人的廣東，應脫離滿清而獨立。事為康有為知悉，乃嚴詞申斥，謂其離經叛道，擬將其逐出門牆，歐榘甲大懼，論調遂變。及孫中山抵舊金山，歐榘甲就在《大同日報》上著文排斥，並詆洪門尊重孫中山為不智。初時黃三德、唐瓊昌勸他與孫合作，共復漢業，至此忍無可忍，便把他逐出《大同日報》，請孫中山代為物色主筆。孫中山乃將《大同日報》改組為革命黨的機關報，聘東京留日學生劉成禺到美主持筆政。自此革命言論，便鼓盪於全美。[37]

文字宣傳除前述檀島《隆記報》與舊金山的《大同日報》兩報刊與孫中山直接有關外，印刷書冊和印發傳單亦為重要的宣傳媒介。孫中山在舊金山，曾翻印《革命軍》一萬一千冊，分寄美洲及南洋各地華僑；復重訂致公堂章程，以「驅除韃虜、恢復中華、創立民國、平均地權」

---

34 馬兗生，前引書，頁四八—五一。

35 兀冰峰，前引書，頁一三四。

36 中國國民黨黨史委員編，《革命文獻》，第六十四輯，《興中會革命史料》，頁二〇〇—二〇一。

37 兀冰峰，前引書，頁一三九—一四〇。

為宗旨，對於闡揚革命的主義，警醒帝國主義侵略的危險，都發生正面的作用。

革命宣傳的目的，通常分為三方面：其一、抨擊客體的弱點，使人民發生離心力；其二、闡揚主體的主張，以爭取志同道合之士；其三、誇張主體的聲勢，以削弱客體的氣志。在興中會時期，革命的聲勢很弱，在這方面無從發揮，但只要有革命的或反抗清廷的活動，無不盡量報導。宣傳革命的主義，暴露清廷的弱點，為興中會時期宣傳的主要內容。在宣傳媒介中，報刊和書冊是最重要的。興中會時期的革命宣傳，以東京和上海為兩大中心，香港、橫濱次之。國內浙江、安徽、湖南北、廣東、雲南、貴州、福建等省，海外檀香山、舊金山、南洋、歐洲等地，亦均有宣傳活動。可見革命宣傳的深入和普遍，革命思想已滲入僑界、留學界、城鎮各階層，乃至秘密社會，無所不在。[38]

(二)同盟會時期的組織活動

庚子以後，中國民氣大張，立憲與革命兩種運動，在海內外知識分子的領導下逐漸蓬勃起來。自倫敦蒙難後，孫中山「因禍得福」，「英雄形象誕生」[39]，他所領導的革命運動，漸著於世。東京、上海的革命風潮，自一九〇三年拒俄運動起，即進入國內外聯合的新階段。同盟會的成立，是應合一種新需要，非一、二人之力所可強。惟當時孫中山以十年的革命經驗，已完成其體天思精的革命理論——三民主義。此一理論，能應合大部分革命志士的需要，革命運動即漸以孫中山為中心而結合。[40]同盟會於一九〇五年八月成立於東京，可視為因應此一潮流的一種革命派大聯合。

中國同盟會於東京成立本部後，按照章程，均規定要在國內各省區及海外各地，設立分會或支部。夏威夷和美國西部的舊金山分別為興中會的發源地和致公堂的大本營，但同盟會組織的建立卻是一九〇九年以後的事。比歐洲和南洋地區都遲了數年。其原因有二：一是一九〇五至一九〇八年間，中山先生係以東京及南洋為基地建立組織，發動起義，未能分身前往美國；一是美國自一九〇五年採行限制華人的移民法律，東京本部雖屢欲派黨員赴美開設分會，但不易取得美國的入境護照。[41]

一九〇九年十一月，孫中山自英倫前往美國，在紐約登陸。這是他第三次到達美國本土，其主要任務即在發展同盟會的組織，並籌集款項支援香港南方支部正在進行中的運動新軍起義計畫。在中山先生的親自發動下，先後建立了同盟會紐約分會、芝加哥分會以及舊金山分會，其他各埠建立組織者，達二十三處之多。其中舊金山分會，旋即定名為同盟會總會，兼負加拿大及中南美同盟會組織的聯絡和指導任務，成為同盟會在美洲組織的大本營。[42]

茲將一九〇九至一九一一年三年間，在美國成立的同盟會總會、分會、通訊處以及其他名

---

[38] 張玉法，《辛亥革命史論》，頁三一二。
[39] 參閱黃宇和，《孫逸仙倫敦蒙難真相——從未披露的史實》（聯經出版公司，一九九八年十月）。
[40] 張玉法，《清季的革命團體》，頁三〇一。
[41] 李雲漢，〈同盟會在國內與海外的組織〉，《中華民國建國史》，第一篇，《革命開國》㈠，頁三四一。
[42] 同前註。

義對外活動之社團等，列表說明如下：㊸

名稱	成立年代	主要負責人	重要記事
美東同盟會—紐約	一九〇九年十一月三日	黃溪記（佩泉）、趙公璧、鍾性初、陳永惠、吳朝晉、唐麟經、吳贊、周植生、趙哀涯、趙悲涯、李鐵夫、鄭金睿、梁添、李語文、黃就、馬壽、黃蔡氏等。	推周植生為會長，鍾性初為書記，趙哀涯為管庫。美國東部的波士頓（阮倫、李綺菴、余夔）、費城（梅毅南）等地亦設分會。
美中同盟會—芝加哥	一九一〇年二月	蕭雨滋、蕭漢衛、梅光培、曹湯三、羅泮輝、程天斗、梅喬林、李雄、梅天宇、梅賜璧、梅友夥、梅彬、譚贊、伍頌唐、何寶衡、梅壽、林光漢等。	推蕭雨滋、梅喬林為會長，梅光培、曹湯三為書記、梅壽為司庫。中部的彩（Detroit、伍頌唐、梅光培）、委林（Winnemucca 朱卓文、劉希碧）等地亦設有分會。
美西同盟會即三藩市中國同盟會總會	一九一〇年三月	李是男、黃芸蘇、黃伯耀、許炯藜、趙煜、劉漢華、黃傑亭、李旺、劉達朝、黃經中、伍進、鄺輝、李梓青、王華彬、崔通約、胡祖、張靄蘊、楊漢魂、黃超武、雷祝三、林朝漢、鄺佐治、盧維溥、黃富、李七、周技五、溫雄飛、王和彩等。	係由舊金山「少年學社」改組而成，用「中華革命軍」名義。推李是男為會長，呂南任書記。其後委林墨、軒佛、羅省、沙加緬度、葛崙、北架斐、斐市那、埃崙頓、市德頓等埠分會相繼成立。
檀香山同盟會	一九一〇年四月三日	梁海、曾長福、雷官進、許直臣、孫科、溫雄飛、譚逵、黃堃、許棠、程就、鄺良、林光、古柏荃、盧冠、盧	推梁海為會長，曾長福為司庫、盧信為書記。短短時間，約有千人入會。

		信、林覺、黃亮、鍾工宇、楊廣達、李烈等二十餘人。	
茂宜同盟會	一九一〇年五月	鄧明山、劉聘、陸進、譚進（池）、譚貴福。	
希爐同盟分會	一九一〇年五月	黎協（國民）、盧先、陸進、林翯等，加盟者三八五人。	會員採軍事編制，分二隊，由黎協、盧先分任隊長。

從上表可知，孫中山在美東、美中建立同盟會美國分會後，復僕僕風塵於一九一〇年三月又一次回到夏威夷。這是孫中山第六次訪問夏威夷，也是最後一次到夏威夷。孫中山前後在夏威夷停留約兩個月，在他的奔走下，成立了檀香山同盟會、茂宜同盟會以及希爐同盟分會，加盟者逾千人，力量發展甚快。那時，檀香山同盟會還成立一個秘密支部，參加者都是一些較知名的商人，其目的在保護這些商人不致遭受滿清領事的迫害。秘密支部的主席是楊廣達（一八六九－一九三三）。楊是中山縣良都北臺鄉人，一八八三年到夏威夷，先後創辦永昌隆公司、廣昌隆公司。其為人慷慨好義，積極支持革命活動。秘密支部即在廣昌隆的地下室開會，從事革命活動。[44]

---

[43] 名單參酌張玉法《清季的革命團體》、李雲漢〈同盟會在國內與海外的組織〉、蔣永敬《華僑開國革命史料》（正中書局，民國六十六年十一月）、劉伯驥《美國華僑史》、馬兗生《孫中山在夏威夷》與美加華僑》（近代中國出版社，民國八十八年十二月）等匯整而成。

[44] 馬兗生，《孫中山在夏威夷》，頁六八、一五〇。

㈢同盟會時期的革命宣傳

同盟會時期的革命理論、體系較興中會時期為完整，宣傳的聲勢亦較興中會時期為壯闊，這當然與革命力量的成長有密切的關係。[45]茲將在美國一地的宣傳概況介紹如下：

東京是同盟會早期的宣傳中心，以《民報》為宣傳機關。檀香山是革命組織的策源地，一九〇三年孫中山將程蔚南的《檀山新報》改為興中會的機關報，與保皇會一派的報紙論戰，已見前述。至一九〇七年夏秋間，程蔚南以年老力衰，無意續辦報紙，由同志曾長福措資接辦，易名《民生日報》，於一九〇八年一月四日創刊。初由張澤黎任主筆，旋由聘自香港的盧信接任。在宣傳上倡言革命，抨擊清朝統治，並與當地保皇派報紙《新中國報》展開筆戰。盧信強調辦報言論自由，曾長福對他說：「絕不干涉辦報，由你們自由發揮。」數月後盧信因受報館內保守勢力掣肘而辭職。一九〇八年八月卅一日，由當地中國同盟會成員阮渭潮、程就、曾長福、黃昆等集資創辦的《自由新報》（*The Liberty News*）創刊，剛辭去《民生日報》主筆職的同盟會員盧信擔任首任社長、司理兼主筆，續任主筆者溫雄飛、孫科、吳榮新等人。做為當地中國同盟會的機關報，《自由新報》自創刊至中華民國建立，在宣傳上大力鼓吹革命，抨擊滿清統治，發表過孫中山的文章。其發刊詞云：「人聯同志，結文字之因緣；報號自由，振天聲於海國」。「先乎言論，繼及實行，文字收功之日，還我河山；英雄應運之秋，蕩平丑虜」。常與當地保皇黨機關報——《新中國報》展開筆戰，並多次因言辭激烈而涉訟法庭。清政府曾下令禁止其進入中國。《自由新報》至一九四六年停刊。[46]

舊金山位於美國西海岸向為華人聚居之地，乃美洲大陸的革命宣傳中心，與檀香山互為犄角，革命報刊較易造成宣傳聲勢。一九〇九年舊金山有青年志士李是男、黃芸蘇、黃伯耀、溫雄飛等十餘人組織一革命小團體，名「少年學社」（The Young China），初用油印版刊行一種周報——《美洲少年》，鼓吹革命排滿，以風氣未開，銷數無多。一九一〇年正月，孫中山至舊金山，「少年學社」會員開會歡迎，即由孫中山主盟，使一律加入同盟會，並將周報改為日報，每日一期，增強革命宣傳，擴大影響，定名《少年中國晨報》（*The Young China Daily*）。按當時舊金山各華文報紙均午間出版，該報首創於早晨出版，乃於發刊弁言標題「少年中國」四字之下以小字加綴「晨報」二字。創刊號上黃超五寫的〈少年中國晨報發刊弁言〉，號召「傾覆現在強權專制惡劣貪淫之大清政府」、「恢復我中華祖國」、「回復我民族獨立之性」。該報由有限公司負責經營，初時黃伯耀任總理兼營業部及翻譯員，黃超五任總編輯，李是男任副刊和新聞編輯，黃芸蘇、萑通約、伍平一、張藹蘊、馬禮馨、劉滌寰等先後任主筆。做為美西同盟會的機關報，《少年中國晨報》鼓吹排滿革命，收效甚著。與《少年中國晨報》相應合的有《大同日報》，該報原為美洲致公堂的機關報，一度受保皇會人士控制，至一九〇四年劉成禺任筆政後，始大倡革命排滿，已詳前述。及同盟會成立後，《大同日報》續為重要宣傳機關，先後

㊺ 張玉法，《辛亥革命史論》，頁三一五。

㊻ 《華僑華人百科全書》，《新聞出版卷》，頁二三九及五四一；張玉法，《辛亥革命史論》，頁三三三—四；馬兗生，《孫中山在夏威夷》，頁一三七。

主持筆政及任編輯者有唐瓊昌、朱三進、蔣夢麟、馮自由等。民國成立後，該報改名為《中華民國公報》。[47]

第四節　聯絡華僑與籌款

華僑素有「革命之母」的美譽。在孫中山一生的革命活動中，各地華僑始終如一地支持由他領導的革命事業。我們甚至可以說，孫中山是依靠華僑開始其革命活動的。他創立的第一個革命團體——興中會，就得到檀香山等地華僑的大力支持，在最早的會員當中有不少是華僑。從興中會開始，經過中國同盟會、國民黨、中華革命黨直至中國國民黨，一直都有大批華僑黨員；在世界各大洲華僑聚居地，建立了很多組織機構。孫中山為了領導革命，足跡遍及亞、歐、美三大洲，他特別重視在華僑當中進行活動，而華僑志士多為血性男兒，在孫中山的感召下投袂而起，紛紛參加革命。有的創辦革命報刊，宣傳孫中山的思想和主張；有的設立籌款機構，為革命事業提供經費；有的親臨戰陣，拼搏於槍林彈雨之中，甚至獻出自己的生命。孫中山在《中國革命史》中回顧辛亥革命過程時寫道：「綜計諸役，革命黨人以一往直前之氣，忘身殉國；其慷慨助餉，多為華僑；熱心宣傳，多為學界；衝鋒破敵，則在軍隊與會黨；蹈厲奮發，各盡所能，有此成功，非偶然也。」在這裡，孫中山特別強調了華僑在經濟上對辛亥革命的支持。[48]

孫中山的革命運動，除組黨和宣傳之外，主要則為發動起義。歷次起義槍械彈藥的購買及運輸，參加起義志士的交通和生活費，起義志士死難遺族的贍養費，乃至革命領袖人物奔走各地的旅費和生活費等等，在在都需要大筆金錢。綜孫中山一生，自一八九四年在檀香山創立興中會至一九一一年辛亥武昌起義，計為時十七年，由其直接指揮發動的起義，大小共十次。在十次起義中，華僑捐款助餉的情形如何？這是本節所要探討的主要內容。

第一次起義，一八九五年廣州之役的經費，據中山先生自述，得自香港一、二人出資數千，檀香山華僑出資數千，合計不過萬餘。㊾但實際上不止此數。根據馬兗生的研究，廣州之役的基本經費來自夏威夷華僑的捐助。按興中會成立時，通過章程規定會員入會交會費五美元。收會費是孫中山籌款的一種辦法。此外，孫中山還用「中國商務聯合會」的名義發行股份，一股是一百美元。據興中會進支數簿記錄：股分銀共收入一、一〇〇美元，加上會員的會費二八八元，兩項共一、三八八元。㊿但這筆款用做發動起義是不夠的。於是加上鄧蔭南「變賣其商店和農場」所得，孫眉則「以每頭六、七元之價，賤售其牛牲一部，以充軍餉」51，共得美金六

㊼ 《華僑華人百科全書》，《新聞出版卷》，頁三一六；張玉法，《辛亥革命史論》，頁三三四。

㊽ 陳錫祺，〈華僑是孫中山革命事業的積極支持者〉，《孫中山與華僑學術研討會論文集》（中山大學孫中山研究所編，中山大學出版社，一九九六年十月），頁一—二。

㊾ 〈孫中山致吳敬恆函〉，載《中華民國開國五十年文獻》，第一編第十一冊，《革命之倡導與發展——中國同盟會》，頁四二〇。

㊿ 馬兗生，《孫中山在夏威夷》，頁八二。

51 馮自由，《華僑革命開國史》（臺灣商務印書館，民國四十二年版），頁二七。

千餘元，合約港幣一萬三千元。

「一九〇〇年的惠州起義，規模較大，所用的經費亦較多。孫中山在致吳稚暉函中，雖未具體說明孫眉有無提供經費幫助惠州之役，但孫眉在一八九五到一八九九年，出賣產業十分頻繁，初步統計有三十多起地產賣出，為支持革命以致傾家蕩產，則為不爭的事實。[52]

除了會費、股份銀和會員的大筆捐贈外，孫中山還透過革命債券的發行，做為籌措革命經費的辦法之一。一九〇三至一九〇四年，孫中山開始在檀香山發行「軍需債券」，票面十元，註明收美金一元，俟革命成功之日即還本息十元，結果未如理想，大約只籌得二千餘元；一九〇四年孫中山離檀赴美，在舊金山透過教會關係召開「救國會議」，即席演說，並勸銷「革命軍需券」。此券原在檀香山印刷，註明「西廿世紀〇四年一月二十八日發」，每券實收美金十元，俟革命成功之日，憑券還本息一百元，每券並由中山先生親署英文姓名 Sun Yat Sen 三字，並加蓋「孫文之印」四字方印。教友認購，共得二千七百餘美元，甚後另由鄺華汰在卜技利埠(Berkeley) 募得一千二百餘元，前後共銷債券四一五張，得款四、一五〇元，此即後來孫中山偕致公堂大佬黃三德周遊美國各地宣傳革命的旅費。顯然的，興中會時期革命風氣未開，募債籌款一時難有大成就。[53]

同盟會成立後，從一九〇七年五月到一九〇八年五月，短短一年之間，革命黨人前後發動潮州黃岡、惠州七女湖、防城、鎮南關、欽廉、河口六次起義。這六次戰役總計用去經費約二十萬元。其來源：張靜江獨助五萬元，日人鈴木等助一萬四千元，荷屬南洋華僑捐三萬餘元，英屬南洋華僑一萬餘元，安南及暹羅華僑六萬元，孫中山自墊及其家人私蓄和首飾計為一萬五千餘元，河內欠債一萬餘元。香港機關直接收入者有一萬三千二百五十元，另革命軍攻佔河口時就地徵收三千五百元。[54]從這張清單，沒有看到美國地區華僑的捐助。

美國華僑對革命起義，在經費方面有較大貢獻的是第九次的廣州新軍之役和第十次的廣州三二九之役。除了革命風氣漸開外，也與孫中山的親自奔走聯絡有密切關係。

一九〇九年秋，同盟會決定在香港建立南方支部，以便策動華南地區的起事。胡漢民受命為支部長，苦無經費，幸得香港同志捐助，苦撐數月，不久又因林直勉把繼承遺產所得二萬元，悉數捐獻，暫時解決了南方支部活動經費的窘況。由於這宗款項，也使胡漢民等敢於放手運動廣州新軍起事。十一月胡漢民致電在美國紐約的孫中山，儘速匯款二萬元，以便發動軍事。時紐約同盟分會初成立，籌集了同志款項三千元先行寄香港。接著孫中山再到波士頓，面謁致公堂大佬梅宗炯求助，原允五千，實際匯港一千九百多元，接著又在芝加哥籌募，得三千元，總計三處所募總數僅八千元，不到原訂目標的半數。[55]即使這筆八千元的匯款，也是得來不易。因為美國華僑受保皇黨的影響，上層人物不但不肯拿出一文錢支援革命，而且還攻擊孫中山宣傳革命道理是「車大炮」。好些中層人士對孫中山也很冷淡。能夠接受孫中山的革命道理，支持孫中山的，還是華僑社會的下層群眾。只是他們收入微薄，不能拿出很多的錢來支援革命。

---

[52] 馬克生，前引書，頁八五。

[53] 呂芳上，〈歷次起義的經費籌措〉，《中華民國建國史》，第一篇《革命開國》(一)，頁五五九—五六〇。

[54] 蔣永敬，《孫中山與中國革命》（國史館印行，民國八十九年十二月），頁三六二。

[55] 呂芳上，前引文，頁五六七。

但中山先生並沒有因此洩氣，他堅持深入到僑胞中間去。每到一家餐館，總要到廚房和廚工們交談，每到一家洗衣店，總要到洗衣場和洗衣工人聊天，他認為下層的僑胞的力量是不可輕視的。「泥土下面，我們往往可以找到寶貝」。56就是仰仗這種革命精神和不懈的努力，才能積少成多，為革命事業開創一番前景！

及新軍運動成熟，已到緊急關頭，發動各路民軍響應，需款甚急，幸而時任香港遠同源匯兌業商店經理的黨員同志李海雲，毅然將店內股東存款二萬餘元悉數提出，使得新軍起事計畫得以依次進行。不料新軍因印刷名片細故，竟使起事提前發動，倉卒失敗。中山先生在美得電，新軍起義失敗，請匯款救濟逃難同志。孫中山為了照顧起義善後事宜，即命舊金山華僑黨員李是男（公俠）、黃伯耀籌款，李是男從他父親鞋莊裡借出了千元匯送香港，以應急需。57據統計，第九次起義經費共約三萬餘元，其中來自美國華僑助款者，紐約三千元，波士頓一千九百元，芝加哥三千元，舊金山一千元，共為八千九百元（均折港幣數），約占全部經費三分之一弱，比之前任何一次起義為多，足見美國華僑在經濟上對革命的支持，愈見重要。

在廣州新軍之役失敗後的八個月，孫中山於一九一〇年十一月十三日，到庇能（檳榔嶼）主持重要會議，決定在廣州再次起義。孫中山在會中要求同志再接再厲，另作一次傾全黨人力財力的大規模起事。會議決定以新軍為主幹，挑選同盟會同志五百人為選鋒擔任發難，用「教育捐」或「慈善捐款」的名義，在南洋籌募經費，籌款目標為十萬元，預定英屬、荷屬殖民地各籌五萬。暹羅、安南另籌三萬，美洲未計。一夕之間，則醵資八千有奇。58

隨後，孫中山即致函美洲同志，「望美洲各埠同志各盡義務，惟力是視，能籌足十萬元固佳，否則多少亦望速速電匯，以應急需。」[59]不久，孫中山即離開南洋，取道法、英，前往北美（包括加拿大），席不暇暖的奔波各地，從舊金山到紐約，從美國到加拿大的溫哥華、多倫多、蒙特婁等埠，為期三個月，展開了他在武昌革命前最大一次，也是較有收穫的一次募款活動。結果紐約得款二千，舊金山募得一萬，不幸第十次起義又告失敗，孫中山獲電要求儘速匯款接濟善後，在洪門大佬黃三德的協助下，舊金山致公堂認購了一萬五千債券。[60]對這次起義，夏威夷華僑提供捐款二千元，但馮自由說是港幣三千元。另希爐同志認購「軍事債券」五千元。

一九一一年五月，孫中山偕朱卓文離芝加哥往波士頓，轉往紐約、華盛頓，六月初旬再抵舊金山。在孫中山離開芝加哥前，同盟分會的一次會議中，為了奠定堅實的籌款基礎，決定在舊金山同盟會總支部設立一永久性的「革命公司」，以合股公司的形式，專負籌募款項的責任。其後「革命公司」改名為「中華實業公司」進行籌款，但募股似乎並無進展。為了確實發動僑胞捐款，復向美洲同盟總會長及致公堂大佬黃三德建議：為消除門戶之見，兩大組織實行聯合，全體同盟會員加入洪門，以便協力籌餉救國。雙方達成協議，洪門會並刪除繁文縟節的儀式，優待同盟會員入會，兩個團體同時公布合併的佈告：消除門戶之別，共圖光復大業。在孫中山

---

[56] 馬慶忠，〈孫中山與美洲華僑〉，《孫中山與華僑學術研討會論文集》，頁一九八。
[57] 呂芳上，前引文，同頁。
[58] 《國父年譜》，上冊，頁三五六。
[59] 《孫中山全集》，第一卷，頁四九八。
[60] 呂芳上，前引文，頁五七一。

的建議下，「美洲中華革命軍籌餉局」，又稱「洪門籌餉局」於七月二十一日宣告成立，對外為了避免美國法律的干涉，改名「國民救濟局」，籌餉約章四款：㈠凡認任軍餉美金五元以上，發給中華民國金幣票雙倍數之收執，民國成立之日，做民國票通用。㈡認任百元以上，另記功一次，千元以上記大功，民國成立之日，照為國立功之例，與軍士一體論功賞。㈢凡得記大功者，民國成立後，可向民國政府請領實業優先利權。㈣以上約章行於革命起事前，起事後報效軍餉者，須照「因糧局」章程辦理。籌餉局成立一個月後，孫中山獲款一萬匯回香港。從七月下旬到十月武昌起義及十一月廣東光復，該局在短短三個月中，籌得美金十四萬四千一百三十元四角一分，成績十分可觀。[61]孫中山曾說：「海外同志捐錢，國內同志捐命，共肩救國之責任。」，美國華僑的表現，並沒有辜負孫中山的期望。

第五節　荷馬李與紅龍計畫

中山先生一生從事革命運動，得到外籍人士的參與和援助不少。根據張玉法的研究，其中以日本人最多，約估百分之八十。[62]而在有姓名可考為數逾百的外籍人士當中，論關係之特別與事蹟之傳奇，恐非美人荷馬李將軍莫屬。

荷馬李（Homer Lea, 1876-1912，又稱咸馬李、郝門李、霍馬李、赫馬李；堪馬李等）於一八七六年十一月十七日出生於科羅拉多州的丹佛城（Denver, Colorado）。在十六歲的時候，全家搬到了洛杉磯，並在此完成中學教育，於一八九六年畢業。他的志願是想成為一位律師。他絲毫沒有獻身軍旅的念頭，因為他的脊背微彎，而且身體矮小，只有五呎四吋高，一百二十磅重。儘管他的身體畸形，不能參加校中的激烈運動，他卻喜歡做長途的狩獵，而且劍術高明，從不中途退出比賽。高中畢業後他在西方學院（Occidental College）研究歷史和其他學科，俾能獲准在史丹福大學深造。一八九七年他在史丹佛大學主修法律。他的房間的牆壁上掛滿著地圖，他把在歷史講堂上聽到的戰爭，從新演練一遍。用這種方法，他使得戰事變得更為生動，對於了解歷史過程和國家興亡的原因有極大的幫助。後來，研究軍事技術成為他的最大嗜好。[63]

從中學開始，荷馬李就熱心於中國事務。他在史丹福大學就讀時結識了兩位中國學生——鍾艾倫（Allen Chung）和盧海（Lou Hoy），更增加他對中國事務的興趣。[64]他熟讀歷史，常與教授辯論戰爭的問題，雖然說過：「所有偉大國家，都仗劍而生」，但頗為心儀英國詩人拜倫（George Gordon Byron, 1788-1824）援助希臘的美舉，對童年的友好謂：「中國將是我的希臘」。從此，荷馬李與中國的關係，就逐漸從想像轉變成實際的行動。因為他深信，創造一個強大的自由民主的

---

61 同前註，頁五七六。

62 張玉法，《辛亥革命史論》，頁二六七。

63 葛禮著，莪班尼恩上尉口述，胡百華譯，《雙十、荷馬李將軍的故事》（傳記文學出版社，民國五十九年九月），頁三九—四十。

64 同前註，頁四十。

中國，比防衛大英帝國還來得重要。65

荷馬李在結交中山先生之前，曾與保皇黨人有過一段合作的關係。根據 Frederic L. Chapin 所撰《荷馬李與中國革命》(*Homer Lea and Chinese Revolution*) 博士論文的研究，荷馬李於一九〇〇年六月二十三日第一次到達中國，行前在美國加入了致公堂。在華南的活動，使他有機會見到了拳亂時期的中國，以及清末維新與革命派的改造中國運動。次年他返回美國之後，即與康、梁的保皇會取得了聯繫。一九〇三年並且在美國建立維新軍，為保皇運動效力。是年梁啟超遊新大陸，十月十七日由舊金山到沙加緬度（Sacramento），二十二日到洛杉磯，得到市長及荷馬李等中美人士的熱烈歡迎。梁啟超在數日的停留中，公開演講接受款宴等活動，成為當地的一大盛事，根據當時《洛杉磯時報》(*Los Angels Times*) 的報導，梁的活動很多都是出於荷馬李的安排。可見荷馬李與保皇會關係的密切。至遲由一九〇四年夏天起，康有為已經和荷馬李有信函往返，一九〇五年三月間，康有為由歐洲抵美，荷馬李亦曾給予相當的款待。但至一九〇五年夏天「福近卜（Falkenberg）事件」66發生以後，荷馬李與保皇派的關係便告疏遠。67

據黃季陸的考訂，荷馬李係於一九〇四年結識了孫中山。中山先生於是年三月抵美，為致公堂重訂章程，由於洪門致公堂的贊助革命，毫無問題的也影響了荷馬李傾向革命黨的態度。加之一九〇四年孫中山在美發表《中國問題之真解決》，引起美國朝野人士的認識，一九〇五年同盟會成立，中國革命聲勢大振，荷馬李之轉為革命黨效力是有相當脈絡可尋的。68此外，容閎於更子年後長居美國，但對中國政治的革新仍十分關注，荷馬李大約在一九〇五年認識了容閎，三、四年後容閎對保皇派的失望，顯然也影響了荷馬李傾向於中國的革命黨。69

孫中山與荷馬李結識後，不只是志同道合的同志，就是在學術上也是經常相互切磋的朋友。荷馬李的兩本名著，一是《無知之勇》（*The valor of Ignorance*），一是《薩克遜時代》（*The Day of The Saxon*）。一九〇九年，美國的哈潑思公司出版了《無知之勇》，在這本書中，荷馬李預測日本將對美國發動戰爭。書中提到的日軍進攻路線和日美之間戰事的演變，幾乎與二戰中太平洋戰爭的發生和發展如出一轍。(70)《無知之勇》一出版，荷馬李就寄贈一本給孫中山，據說孫極為讚賞。一九一〇年八月十一日，孫中山自檳榔嶼給荷馬李的一封信中這樣說：「請賜贈一、二本你的近作《無知之勇》，因我原有的一本已被友人取去。」(71)孫中山在稍後的一封信中，於書中對飛機在戰爭中的用途，表示論證極正確，至為贊佩，但批評補充說：「我完全同意你在

---

(65) 黃季陸，《國父軍事顧問——荷馬李將軍》（初稿），民國五十八年三月三十一日在中國歷史學會宣讀論文，頁七九。

(66) 保皇會在美透過美國友人協助，建立維新軍，一九〇三年梁啟超遊美曾任命福近卜為大元帥，其後保皇會又任命荷馬李為大元帥，事為福氏所聞，大為不滿，控之於法庭，美報為之喧騰一時，荷馬李因之與保皇會漸行漸遠。

(67) 呂芳上，〈荷馬李檔案簡述〉，黃季陸等撰，《研究中山先生的史料與史學》（中華民國史料研究中心，民國六十四年十一月），頁四一七—四一八。

(68) 同前註，頁四一八。

(69) 呂芳上，〈歷次起義的經費籌措〉，前引書，頁五六八。

(70) 郝平，《孫中山革命與美國》，頁一七八。

(71) 孫中山，〈復荷馬李告各地革命情勢函〉，《國父全集》，第四冊，頁一二八。

第一部份的論述，但在第二部份『作為偵察手段』一節中，你忽略一事：飛機和飛船（可操縱氣球）能作極好的攝影，有助於指揮官準確判斷敵情。譬如在遼陽及瀋陽戰役中，俄軍指揮官以為日軍人數多於己方，但實際上日軍人數要比他所設想的少三分之一。日軍戰線延伸達一百哩以上，使俄軍的繫留氣球無法發現。假若俄軍當時使用可操縱氣球或飛機進行攝影，即可立即發現漫長戰線上日軍的數量。」孫中山認為《無知之勇》一書的內容，「包括對現代中國人必不可少的寶貴知識」，但中文譯本無利可圖，所以將安排日本友人（池亨吉）立即動筆翻譯。待日文版完成後，再囑人譯成中文本。[72]

稍早，容閎因對康有為不滿，認為孫中山才是一位真正的實幹家，而與荷馬李和布斯（Charles B. Boothe）共同擬訂了所謂的「中國紅龍計畫」（Red-Dragon-China），想援助孫中山進行革命。計畫的主旨在籌款美金五百萬、槍械十萬支、彈藥一億發，在中國南部發動武裝起事。[73]

孫中山在讀過荷馬李的著作後，十分欣賞他的才華。一九〇九年十一月孫中山到美國紐約訪問不久，便寫信邀請住在洛杉磯的荷馬李到紐約會面。當時由於荷馬李正在生病，難以遠行，便回信孫中山到洛杉磯再見面。翌年二月十日，孫中山抵達舊金山後，即接荷馬李二十一日自長堤來函。二十四日，孫中山函覆，將儘速往晤荷馬李與布斯。[74]

一九一〇年三月中旬，孫中山來到荷馬李在洛杉磯附近長堤市（North Long Beach）的一幢秘密住宅，與荷馬李和布斯進行了具有歷史意義的會談。經過幾天的磋商，他們對「紅龍計畫」進行了充實和修改。由於該計畫是在長堤決定的，所以後人又把它稱為「長堤計畫」。[75]

「長堤計畫」的內容，主要有以下幾項：[76]

㈠中國革命黨暫行中止長江流域及華南地區準備未周起義行動。改行厚蓄實力、充分準備，集中人力財力，發動大規模起義的策略。按此一決定的來由，不外：

1.鑑於歷次長江流域及華南地區的革命起義，犧牲人才，耗費金錢，而收效不大。而月前廣州新軍起義失敗，尤為一新的創痛。

2.長江流域及華南地區，多為外人利益所在地，由於此等地區發生頻繁的革命事件，社會因之不安，影響外人利益不小。若仍在此種情形下向外人貸款，勢將增加貸款困難。

㈡由中山先生以中國同盟會總理名義委任布斯先生為國外財務代辦人，向紐約財團洽商貸款，以應大規模革命起義之需。並由中山先生辦理國內各省革命代表簽署之文件，以為貸款之一項證據。

㈢運送在美訓練之軍官若干，以充實革命武力。

㈣貸款之總額，總計為三百五十萬美元。計分四次支付。詳細明細表如下：

---

72 孫中山，〈復荷馬李望速籌款並告譯書及練兵等事函〉，《國父全集》，第四冊，頁一三八—九；黃季陸，《國父軍事顧問——荷馬李將軍》，頁三四。

73 同註69。

74 孫中山，〈致荷馬李將軍將儘速會晤布司函〉，《國父全集》，第四冊，頁一〇九。

75 郝平，《孫中山革命與美國》，頁一七八。

76 黃季陸，《國父軍事顧問——荷馬李將軍》，頁四八—五二；《國父年譜》，上冊，頁三三六—三四〇；郝平，《孫中山革命與美國》，頁一七八—一八〇。

第一項支付款項

第一、整理各種團體

1. 華中……一萬五千美元

2. 華北……一萬五千美元

依會長之需要，支付一百名工作人員用費。

第二、沿東京灣（Tonking）世界組織軍隊，並設置軍火調配站……六萬美元

某種土地的特許權，在特許權之下，使用土地，建立一千人的駐所……十萬美元

第四、廣東代辦處……二萬美元

東京代辦處……二萬美元

第五、購買一萬支毛瑟步槍，二百五十萬發子彈，三十六門大砲及一萬四千四百枚砲彈，以匯票支付三分之一……十六萬美元

第六、獲取北京附近五鎮（Divisions）的控制權……五萬美元

第七、獲取組成中國海軍的四艘巡洋艦的控制權……四萬美元

第八、軍事總部的費用……一萬美元

第九、會長總部的費用……二萬美元

第十、準備金（Contingent Fund）……十五萬美元

以上合計……六十五萬美元

第二項支付款項

第一、支付動員與支援五千人的六個月費用……二十二萬美元

第二、支付六個月的美國軍官的運送費與維持費……十七萬五千美元

第三、支付中國翻譯人員的運送費與維持費……一萬美元

第四作戰軍火的最後付款……三十五萬美元

第五五千兵士與軍官的全副裝備……十萬美元

第六、工程人員、藥品與運輸給養……十萬美元

第七、馬匹、參謀人員與總部的裝備……十萬美元

第八軍火與給養的運輸……十萬美元

第九準備金……五萬美元

以上合計……

第三項支付款項

第一、額外五千人的動員與裝備……十五萬美元

第二、擔任運輸的五千名苦力的動員與裝備……五萬美元

第三、一萬五千人的三個月維持費……二十萬美元

第四準備金……十萬美元

第五外交用途……二十五萬美元

第六付給美國軍官三個月薪水……五萬美元

第七步槍彈藥七、七五〇、〇〇〇發……十七萬五千美元

以上合計……………………………………七十九萬五千美元

第四項支付款項

戰役基金……………………………………×××

「紅龍計畫」的實施，需要大筆的活動經費。而這個籌款的重任委託給同盟會的「海外財務代辦」布斯，布斯是個退休的銀行家，他透過友人艾倫（W.W. Allen）與美國摩根公司（J.P. Morgan & Co.）三度提出貸款申請。美國銀行家們對孫中山所領導的革命運動根本不感興趣⑰，對貸款的風險也需要作評估，故申請均被拒絕。

會後，孫中山轉道舊金山赴檀香山，繼續其革命活動。為了計畫的實現，孫中山同時透過黃興徵詢同盟會同仁的意見。黃興綜合其他領導人的意見，對「紅龍計畫」提出了五點具體建議：⑱

1. 要奪取廣東，必須由省城下手。
2. 可租廣州灣，用於練兵。
3. 應注重聯合各地的新軍和會黨。
4. 暫緩聘請國外軍官和技師。
5. 廣羅人才。

最後，「紅龍計畫」雖因籌款失敗而胎死腹中，但孫中山和其他同盟會領導人一直把荷馬李將軍視為中國革命運動的朋友。辛亥革命成功之後，孫中山特意請荷馬李到南京出任中華民國臨時政府的首席軍事顧問。不久，荷馬李因病離華，返美國休養，至一九一二年十一月一日去世。孫先生聞訊至為悲痛，除專函荷馬李夫人表示哀悼外，並在《大陸報》（*China Press*）上發表一篇感人的讚詞，指出荷馬李的人格特質、軍事素養以及對中國革命的貢獻：㈠其忠厚的舉止，富於同情心的談吐，坦率與果決，贏得了許多中國友人的稱許。㈡他雖不是軍人，但具有非凡的才智，是一位偉大的軍事哲學家；他對軍事有深遠透徹的見解，是兩部有關軍事戰術與戰略著作的作者，有好幾位傑出的軍事學家對他的專著都十分讚賞。㈢他對革命問題有卓越的見解，在與革命有關的軍事策略問題上，給了孫中山全面的幫助。[79]三年後，同盟會的第二號領導人黃興在訪問美國抵達洛杉磯時，還專程去拜訪荷馬李夫人，並在荷馬李將軍的墓前獻上了鮮花，以表達哀思。[80]

至另一位與「紅龍計畫」有密切相關的布斯，也一直是孫中山的密友。雖然他沒有完成為「紅龍計畫」籌款的委託，但孫中山與他的友誼始終如一。事隔多年之後，當布斯在自己的兒子面前談到孫中山時曾這樣說道：「孫中山先生是我一生中最使我難忘的朋友，也是我所見到最具有智慧、勇氣與毅力的偉人！」[81]

---

[77] 郝平，《孫中山革命與美國》，頁一八一。
[78] 同前註，頁一八二—一八四。
[79] 孫中山，〈對荷馬李將軍的贊詞〉，《國父全集》，第九冊，頁五六。
[80] 蕭致治，《黃興評傳》（南京大學出版社，二〇〇一年九月），頁四一六。
[81] 姚漁湘等，《研究孫中山的史料》（文星書店，民國五十四年出版），頁二四六。

第三章 辛亥革命與美國

第一節 武昌革命爆發後的美國輿論與政策

孫中山畢生致力於國民革命，以和平、奮鬥、救中國的終極目標。他為鼓吹革命，在海外奔走號召，其間以五訪檀香山，四次訪問美國所經歷的時間最久，對於聯繫華僑、爭取美國友人的支持，可謂不遺餘力。對於革命組織的成立和宣傳，在華僑中的籌款以發動起義，大致已如前章所述。以下專談美國輿論和政府部門對於辛亥革命的看法和態度。

㈠美國輿論的反應

武昌起義一爆發，美國大城市的重要報紙，都給以顯著報導。當然不免有迷惑、吃驚和錯誤的地方。一九一一年十月十四日紐約的《商業財政紀事》（*Commercial and Financial Chronicle*）周報說：「統治了中國近三百年的滿清政權可能要垮臺了。這次革命在重要的湖北省爆發，明顯的經過領導人精心策劃，當地軍民都予以熱烈支持。首府武昌陷落，漢口和漢陽也不費吹灰之力就被佔領，鄰近的四川省幾個地方也在革命軍管轄之下。」「至今還沒有一個外國表示要阻止這場革命。如果外人要改變目前局勢和將來局面的發展所做的努力，規模要很大和嚴峻。所以，只要外人權益得到充分保障，就不應當採取任何干涉行動。」同日，《亞特蘭大憲報》（*Atlanta Constitution*）說，中國革命是世界上反抗君主獨裁的一部分，「如果成功的話，中國的進步，無可限量。」而《舊金山考察報》（*San Francisco Examiner*）對於革命黨人能否控制群眾暴動，卻表示懷疑。❶

革命黨人保護外國人的生命財產，秋毫無犯，予美國和其他外國人一個很好的印象。《紐約時報》（*The New York Times*）十月十四題為〈中國的叛亂〉的社論說：「過去反清運動是很反動的，特別是激烈排外，矛頭指向外國人。這次卻大不為然，革命領導人一開始就表示尊重外國人的權益。在革命運動中心的省份，臨時政府還採取民主政制的雛形，都是很有意義的情況。」十月二十五日《紐約先驅報》（*New York Herald*）對於革命黨人在組織、宗旨、訓練和決心上的表現，大加贊揚。十月廿六日，紐約《世界日報》（*The World*）也說，武昌起義是「自義和團和太平天國運動以來準備最充分的一次起義。規模似乎是全國性的，有組織。為了避免外國武裝干涉，革命軍主動控制了群眾騷亂……，所有這一次都說明了組織英明，再加上民族感情，使得整個世界不得不正視這次運動。中國的革命領導人在過去十五年內，學了很多東西。而滿清朝廷對立憲所做的一點努力，又助長了民族運動。而這個運動卻又可能導致清廷的解體。」十月二十八日出版的《展望》(*The Outlook*)雜誌說:「這次革命不同於過去幾次運動。它有能幹的領導,最令人滿意的事莫過於對在華外國人生命財產的尊重。」十二月出版的《商業財政記事》周報也特別讚賞革命黨人保護外人在華利益這一點,並對中國局面表示樂觀。同年十二月紐約出版的《評論的評論》(*Review of Reviews*)認為,清室統治中國的氣數已盡。十二月九日,頗有影響力的紐約《美國銀行家》(*American Banker*)從商業角度提出另一個更為樂觀的看法,認為滿清皇朝明顯即將覆滅,任何企圖挽回它滅亡命運的一切努力,終將失敗。「在這千載難逢的機會,美國應準備爭取在亞洲市場上的適當貿易,加強對這個前進中的偉大民族的影響。這個民族具有無窮盡的商業、工業、金融、教育、道德和智力發展的潛力。在一個新的啟蒙時期,中國無疑將在未來二十世紀的歷史中扮演一個極重要的角色。」❷

一般來說,革命之初,美國報刊對中國局勢的判斷,基本上尚屬正確,大都同情革命,而且注意到革命聲勢浩大,反清而不排外。因為義和團排外,不過是十一年前的事,記憶猶新,心有餘悸,對於革命黨人的對外態度感到非常安慰。

(二)教會的反應

---

❶ 薛君度,〈武昌革命爆發後的美國輿論和政策〉,中國孫中山研究學會編,《孫中山和他的時代——孫中山研究國際學術討論會文集》(北京中華書局,一九八九年十月),上冊,頁五〇二—五〇四。

❷ 同前註,頁五〇四—六。

武昌起義消息傳到美國，教會人士最關心的是在華傳教士的安全。美國聖公會（Episcopal Board of Missions）收到第一封在華傳教士無恙的消息，來自漢口路德斯主教（Logan H. Roots）的電報：「傳教人員安全無恙，不必撤退。」紐約《世界日報》和《紐約時報》十月十二日和十三日，先後發布了這條新聞。隨後美國收到各地的報告，都與路德斯主教的電報大同小異。基本上的說法是：傳教士安全，受交戰雙方保護，工作未受干預。這場革命與義和團時期截然不同，沒有排外傾向。有些報告還說，教區是最安全的地區，革命軍秩序良好，宣告凡攻擊外國者處以極刑。

一九一一年十月二十九日，有位牧師寫給《傳教福音》報告天津的情況時說：「雙方盡力避免與外國人或外國政府衝突；對於中國人來說，他們最不希望任何國家插手干涉。所以，外人和傳教士都沒有什麼可以擔憂的。」上海《中國紀事和傳教報》（*The Chinese Recorder and Missionary Journal*）在一篇社論上也說：「一九〇〇年和現在的情況，大有分別。那時，人們普遍憎恨教士，並試圖將他們驅逐出境。現在呢？革命和清廷雙方都唯恐來不及的安慰教士們，說無論發生什麼事情，他們都會安全。各地的群眾都受約束——不要向外國人搗亂。」一個在成都行醫的基督教新教傳教士泰勒牧師寫信給波士頓新教月刊《傳道》（*Missions*）表達了同樣的看法：「在這場動亂和焦慮過程中，我們根本沒有遇到任何危險；清政府和起義者雙方都保證要保護我們。總督大人對我們的關懷更是無微不至。」對於革命的前景，鄭州一位名叫羅頓的牧師認為，革命黨人在全國各地都很壯大，相信他們最終可以奪取政權，但奪取政權後卻需要一定的時間來調整新局面。一位有名的上海牧師羅令遜說：「不管發生什麼事，中國都是在向好的方向轉化。」有位名叫史密斯牧師（Rev. Arthur H. Smith）更從世界性意義，來看辛亥革命：「要想理解一九一一一九一二年的中國革命，必須把它放到世界大範圍內，把它作為是有意識地要改進人類文明的行為來理解。中國人搞了一場革命，竟然是東方史上流血最少的一次，這使得全世界無不驚訝。」

大體而言，美國教會對辛亥革命，基本上採取寬容和贊成的態度。主要原因有二：一是由於辛亥革命反清而不排外；一是由於革命領導人對宗教，尤其是基督教態度友善。還有些傳教士，他們對辛亥革命的期望和讚許，不僅出於宗教的信心狂熱，而且要把現代文明傳入中國，使中國「覺醒」。❸眾所周知，孫中山為一基督徒，更使教會人士感到興奮鼓舞。又革命領袖大多受過西方文明的薰陶，其中且有部分與教士曾有接觸，例如赫格博士（Dr. Charles R. Hager）曾於一八八四年為孫中山授洗禮，更認為革命成功，他們與有榮焉。教士們透過各種書信報導，替孫中山澄清許多美國駐華公使嘉樂恆（William Calhoun）所相信的不確謠傳，藉以喚起美國人民對中國事務的注意和興趣。美以美教會（Methodist）主教巴斯佛德（James W. Basford）與威爾遜總統私交甚篤，在華宗教圈內頗具聲望，亦曾為革命出力；長老會的哥察蘭博士（Dr. Samuel Cochran）、上海《中國記錄報》（*Chinese Recorder*）及基督教青年聯誼會的布羅克曼（Fletcher S. Brochman）、塞維斯（Robert R. Sewice）都肯定革命領袖們有基督精神，並寄予改革的厚望。❹

❸ 同前註，頁五〇八—五一一。

❹ 王綱領，〈美國對辛亥革命之態度與政策〉，收入《中國近代現代史論集》（臺灣商務印書館，民國七十五年七月），第十七編，《辛亥革命》，下冊，頁一〇一四—一〇一五。

㈢政府態度與政策

清季革命運動，自始即與列強發生關係。其原因有三：⑴革命黨人希求列強在精神和物資上予以協助；⑵清政府常利用外交關係，打擊庇身於租界或外國的革命勢力；⑶列強伺機擴張其所獲有的特殊利益和勢力範圍，既欲利用清政府，復利用革命派。革命派為爭取國際同情，並避免外力干涉，重排滿而輕排外，並宣言保護外人生命財產及其既得利益。職是之故，革命運動所受到的主動外力干涉甚少；大部分干涉來自清政府所施加的外交壓力。❺

要了解美國對辛亥革命的政策，首先應先了解下列三點：

1.貿易、兵艦、傳教是帝國主義侵華的三部曲，因為要發展貿易，必要時就用武力，那時候帝國主義真是戰無不勝的。兵艦打敗了中國，也打開了中國的大門，貿易增加，傳教士也就接踵而來。有時候又藉口「宗教迫害」，傳教士被殺而對中國用兵，戰後又獲得更多的商業權利。

2.美國雖然參加過八國聯軍入京之役，基本上十九世紀美國在華利益是「不勞而獲」和「坐享其成」的。就是說，英、法、日各國先後出兵侵犯中國，獲得各項權益。美國也因此佔了便宜。

3.如所周知，美國對華傳統的基本政策是門戶開放，其目的是在維護在華商業利益。門戶開放政策是一八九九年美國國務卿海約翰（John M. Hay, 1838-1905）向列強所提出，要求各國在華有貿易均等機會。換言之，美國並不反對各國在中國有勢力範圍，但只求在各自的勢力範圍內不歧視和排除別國平等貿易機會。次年，美國更進一步建議「維持中國領土和行政完整」。美國的要求和建議，首先贊成的是英國，其他列強並沒有毫無保留的接受。❻

武昌革命爆發後，這時美國總統是塔虎脫（William H. Taft, 1857-1913），他是一九〇九年繼老羅斯福後為總統，做過菲律賓總督，了解亞洲對美國的重要。他的國務卿是諾克斯（Philander C. Knox），律師出身。國務院負責遠東事務的是職業外交家亨定頓·威爾遜（F.M. Huntington-Wilson），駐華公使嘉樂恆曾任美國鋼鐵廠總裁，是一個拘謹沈默的人，對於革命自然不會同情，但既在其位，也想盡力把工作做好。此外，還有代表摩根財團在北京交涉借款的司戴德（D. Willard Straiht），他與美國官方關係，自然很密切。司戴德似乎是一種典型的具有優越感的白人帝國主義者，其人既不喜歡滿清，又認為「革命黨人更糟」，而且「寧願和清人辦外交，也不願意和伍廷芳這個笨驢打交道」。但這些人都相信，美國要成為強權大國，必須向亞洲發展商業貿易，而中國市場潛力很大，是美國「戰略部署」最重要的一環。❼

美國政府與其他國家一樣，對武昌起義的爆發事先略有所聞，但對其突然成功及短期內中國政局的演變，則完全沒有心理準備，因為國務院對於孫中山其人其事，資料來源龐雜，以致正誤混淆，愛憎不定；對於國民革命的本質未能掌握，對於革命的前途感到懷疑，對於偌大的

❺ 張玉法，《辛亥革命史論》，頁二四〇。

❻ 薛君度，前引文，頁五一五—一六。

❼ 同前註，頁五一五。

中國群眾之傾向尤莫測高深。在此種情況下，國務卿諾克斯乃於十月十八日，拒絕由科羅拉多州前往求見的孫中山，理由乃孫係「對現存政府進行推翻的領袖，不願與之接觸。」❽其後，中山先生前往英國，他並未訓令美駐英使追蹤他的行動，及知孫中山在倫敦對摩根財團在英相關企業進行借款交涉，他亦未曾訓令勸阻。對於孫中山的軍事顧問荷馬李，則由於遠東司的同仁對其印象不佳，而謝絕相見。但對於荷馬李將軍同情中國建立共和的主張及支持此一全國性運動的要求，則倍感困擾，因其心中未嘗不同情革命。故當其接到武昌起義成功消息之際，立即電報塔虎脫總統，形容此一運動為十九世紀太平天國運動以來，中國最嚴重的叛亂，他對北京政府的描寫極為簡略，只言其未來端視（王朝）軍隊忠誠而定；並預料此一叛變雖可鎮壓於一時，但反對王朝的起事仍在蔓延中……。此時他心中所擔憂的是「義和團事件」的重演，故不厭其煩地再三訓令「儘速撤僑並集中保護之，並急速照會海軍部調船進入長江，並往華北巡弋，一面加強護僑聲勢，一面監視日本的可能侵略行動。」但他對海軍部提議「在長江流域採取武力干預，在長江口建立（美國）海軍基地」，並不贊成。其後，他接到各地領事館的報告，發現各地民軍秩序良好，乃「靜觀其變」嚴守中立，尊重英國，監視日、俄兩國，成為他的政策重點。

北京方面，當武昌起義發生時，美國駐華公使嘉樂恆正返國述職，代辦威廉斯（E.T. Williams）亦於其他地區響應革命之始，認定此一運動係為有計畫、有組織之叛亂，並立即訓令各地美國領事館儘速撤僑，尤其是漢口附近、湖北內陸及四川偏遠地區之美僑，向各通商口岸聚集，等候輸送，後來發現若干地區不撤離反較安全，乃將注意力集中在對南北雙方實力的觀察，研究各地起事的遠景。威廉斯在向國務院的報告中，期望清廷能儘速起用袁世凱，俾便鎮壓南方「叛軍」，但又覺得「除非有外援，否則不能成功。」其間，他鑒於漢口英、法、德、俄、日五國領事團於十月十八日，未得各該國政府之許可，擅自發佈「承認革命軍為交戰團體」的聲明，乃一方面訓令美駐華各地領事謹慎地不涉及任何對革命當局的承認，另一方面又考慮清廷在地方上已無實際負責機構的存在，乃允許各地領事館與革命軍往來，但只限於為保護美僑之生命及財產所做的交往。換言之，威廉斯的政策是嚴守中立，不承認革命軍為交戰團體。他的意見，與注重國際協調的嘉樂恆公使，並無二致。❾

美國在漢口設有領事，但美國採取中立政策，主要基於下列原因：⑴基於革命軍的政策，沒有干涉的必要；⑵干涉可能導致中國人排外，僑民受害；⑶列強，尤其是日俄，可能乘機混水摸魚，影響美國在華權益。❿

❽ 王綱領，前引文，頁一〇一一；韋慕廷著、楊慎之譯，《孫中山——壯志未酬的愛國者》（廣州中山大學出版社，一九八六年），頁七九。

❾ 王綱領，前引文，頁一〇一一—一一二。

❿ 薛君度，前引文，頁五一八。

第二節 南北議和與美國動向

武昌起義一月之間，南北十四省先後獨立響應，革命的狂潮似是勇猛直進，革命志士莫不以為這是徹底改造中國的大好時機。但是中國還有一批穩健而近於保守的知識分子，他們恐懼革命所引起的破壞和騷動，將給予列強干涉的機會，有招致瓜分的危險。他們既不能預防革命於先，阻止其擴大則認為責無旁貸，所以不待革命進一步發展，停戰與議和的主張已經瀰漫全國。袁世凱出山，形成南北對峙的局面，加上袁氏有心利用此一局面以助成個人的權勢，和平解決立即代替了革命的發展趨勢。⓫

一九一一年十一月一日，清廷授袁世凱為內閣總理，袁氏久困再出，「一方挾滿族以難民黨，一方則張民黨以迫清廷」⓬，圖坐收漁人之利。當時最大問題，無過於議和。而議和之目的，南方則在使清帝早日退位，在袁氏則另有意圖。袁初命道員劉承恩兩次致書黎元洪勸和，黎置之不答，再命海軍正參領蔡廷幹偕劉承恩同赴武昌晤黎請和，亦無結果。十一月十四日，鄂省軍政代表孫發緒、夏維松與袁之代表會晤於漢口俄領事館，均不得要領。此時漢陽未失，民軍的氣勢方盛，和議一時難成。⓭及至十一月廿七日，漢陽為北軍奪回，袁世凱認為此乃重提和議之最佳時機，遂請與袁素敦交誼之英使朱邇典（Sir John Jordan）出面斡旋。十一月廿九日，朱邇典電令駐漢口領事葛福（Herbert Goffe），促成兩軍停戰議和，是為上海和談之濫觴。袁世凱委唐紹儀為全權代表，嚴修、楊士琦為參贊，與民軍議和。十一省軍政府則公推伍廷芳為民軍代表。與清內閣代表唐紹儀談判。雙方代表於十二月十八日在上海英租界議事廳進行和議。

此前，北京公使團有鑒於中國內亂延長，將危及各國之利益及外僑之生命財產，遂於十二月十五日採納朱邇典之建議，擬由英、美、德、法、日、俄六國公使分電南北議和代表唐紹儀與伍廷芳，促早日達成和議，所擬照會全文如下：

頃奉各該國政府命令，擬不用正式公文，敬陳和議大臣之前；現在所辦之事，係擬議各款，以復回中國大國太平。中國現在仍然爭戰，各該國視為中國地位危險，有礙治安，即於各國實在利益亦屬有礙，並致極危險之地位。各國一向確守中立，現雖不用正式公文，仍應請兩方議和大臣注意，須早日解決和局，以息現事，諒兩方亦具同此意。[14]

其後，美國公使嘉樂恆依照公使團之約定，將此照會之內容，致電請示諾克斯國務卿，獲得諾克斯之同意。[15]

南北議和是在英國居中調停之下推動的，日本被排除在外。英國以四國銀行團借款為條件

---

[11] 陳三井，〈法國與辛亥革命〉，《中國近代現代史論集》，第十七編，《辛亥革命》，下冊，頁一一〇〇。
[12] 《胡漢民自傳》（傳記文學雜誌社，民國五十八年十月），頁六八。
[13] 李劍農，《中國近百年政治史》（臺灣商務印書館，民國四十六年五月），上冊，頁三三〇。
[14] 中國史學會編，《辛亥革命》，第八冊，頁二一三。
[15] 王綱領，前引文，頁一〇一九。

勾引袁世凱上圈套，所以這時袁與朱邇典的關係遠比日駐華公使伊集院親密，日本對此非常不滿。就當時中國內部的情勢而言，革命黨非堅持共和不可，而清政府的大批投機官僚與地方軍閥基於民族革命的共同意識以及大勢之所趨，雖不敢公開地喊出共和口號，但至少是同情民主共和體制的，再加上袁世凱是個機智萬變的政客；基於這些要素，日本政府對於南北議和問題，認為如不加以干涉，北方代表很可能向南方代表讓步，如讓步，日本政府素來所支持的君主立憲政體一定要遭到失敗。故在南北議和時，日本內田外相積極展開活動，特別是想拉攏美國做為後盾。十二月十八日，內田外相向華盛頓的政府表明：

中國今日正當擇帝制或共和之歧路。日本政府之意見，如中國之國家採用共和制度，實極困難；即使實行，亦難相信中國人民能實際運用此種制度；而在革黨方面亦自欺欺人也。在另一方面，清廷之無能已無可諱言，欲其恢復威權，統治國家一如舊制，亦實際所不可能，因此，適應中國現狀之最善方法，日本政府之意見，似應建立一名義上的清廷政權之中國統治。如此，一方尊重中國人民之權利，並消除共和之空想，制定新憲法，由皇帝誓以遵守。為今日之中國計，採取上述之辦法，當為賢明之策也。如此，日本政府以為應當勸告雙方訂條件，一方使清廷接受上述之原則，並認此為維持其政權之得策；一方使革命黨瞭解不僅共和為不合實際，且此種計畫將危及全中國之生存及中國人民己身之福利，同時將遵守條件問題——即謂維持現在之朝廷並尊重人民之地位——交由主要列強保障之。⑯

當時美國尚未特別重視遠東問題，對華政策多與英國相呼應。華盛頓當局接到日本的建言後回答說：中國之現狀嚴重影響外人生命及利權之安全，美國衷心贊成對雙方施予道德上之壓力，使雙方達成協議；亦同意列國應可提一非正式之照會予議和之兩方代表，但措施須符合嚴守中立之原則，且應考慮各國將來行動需謀求一致。⑰美國的基本態度是：(1)如協助日本，英美之間必生齟齬；(2)對日本以武力干涉中國，甚難同意，關於日本最關心的中國政體問題，美國對於革命黨所主張的共和政體很表同情，但又認為袁世凱既已出山，不如在袁的強權下施行君主立憲，這樣可以避免中國內政不安及列強瓜分中國的危機。但美國反對日本單獨以武力干涉中國。因此，內田外相的對美攏絡政策並未成功。⑱

為了牽制日本使其不私自援助袁世凱，朱邇典向英國外務部建議邀請日本參與和談，外務部以英日同盟的立場同意此項建議。日本政府亦接受此一提議。此事為美駐英大使所悉，乃向英國外務部詢問英日「援助中國南北和談」之性質、範圍，及其與列國一致行動的關聯。諾克斯表明對於中國問題，美國希望與英國採取一致的立場。英國則對美保證此種「援助」純為對列強有利之性質，嚴守中立立場，亦不致採取列強所不贊成之步驟。之後，朱邇典奉命與嘉樂

---

⑯ Foreign Relations of the United States, 1912, p50；轉引自彭澤周，〈辛亥革命與日本西園寺內閣〉，收入《中國近代現代史論集》，第十七編，《辛亥革命》，下冊，頁一〇六六。

⑰ 轉引自王綱領前文，頁一〇一九。

⑱ 彭澤周，前引文，頁一〇六六—七；頁一〇八三，註二十二。

恆保持合作與聯繫。[19]

在時斷時續的長期南北和談中，英、美、法、德四國很明顯的支持袁世凱，向南方施加壓力，而日本卻是同時對清廷、袁世凱、革命黨三方面極盡威脅利誘之能事。日本是個軍國主義國家，遇有事故，總是首先考慮以軍事手段解決。在辛亥革命爆發後，日本軍部數度有向中國出兵的企圖，日本政府甚至多次向英國提出出兵或增兵的意向。對此，英國表示反對採取軍事行動，並以日英同盟和「各國協調一致」的原則牽制日本。美國也預計日本可能出兵干涉，因此通過駐日大使代理向石井菊次郎外務次官，發出未與美國協議不可採取行動的警告。我國雖也欲出兵干涉，但由於德國在西線的牽制，使其感到力不從心而作罷。就是這種錯綜複雜的國際環境，牽制了日本出兵干涉的企圖。[20]

第三節 清帝退位與美國態度

自武昌起義以迄清帝退位，列強大體尚能採取不干涉政策，他們既不予清廷以經濟上之援助，亦未承認南京之臨時政府。

迫使清帝退位，是袁世凱與孫中山的共同希望，也是雙方私下談判的政治基礎，因為這也是建立袁政權的先決條件，所以袁氏首先著手解決這一問題。此事必須獲得列強的承認和支持，因之袁世凱不得不仰承列強，特別是英國的鼻息。一九一二年一月十一日，袁世凱派梁士詒告知朱邇典，中國各階層一致認為除清帝退位之外，別無他途，探詢袁世凱如在清帝退位後組建臨時政權，是否能得到列強的承認。朱邇典對此避作正面回答，但稱袁世凱如獲得各國之信任，則袁與南方之爭議乃中國內部問題，當可達成協議。暗示支持袁世凱的策劃。袁世凱因此認為已得到英國的支持。㉑

於是，在朱邇典的支持下，袁世凱積極操縱，用梁士詒以定策，命段祺瑞聯合北洋將領以要脅清廷退位。㉒清廷於一月十七日至十九日之間連續召開三次御前會議，討論退位問題。第三次御前會議，袁世凱命趙秉鈞、梁士詒、胡惟德代表個人出席。趙秉鈞提出一解決時局方案，竟謂將北京君主政府與南京臨時政府同時取消，另於天津設立臨時統一政府。顯然此一方案之主要用意，是一石兩鳥，以取消南京臨時政府作陪襯，換取清室之退位，袁氏即可大權獨攬。㉓袁氏的陰謀，立即為南京方面所窺破，外加滿蒙王公親貴之一致反對，袁氏乃難逞其欲。在無可如何之下，遂轉而利用一月二十三日法、英、俄、日四國贊成清帝退位之聲明，逼成二月二十二日退位詔之宣佈。㉔

⑲ 王綱領，前引文，頁一〇一九。
⑳ 俞辛焞，《孫中山與日本關係研究》（北京人民出版社，一九九六年八月），頁一一〇。
㉑ 俞辛焞，《辛亥革命時期中日外交史》（天津人民出版社，二〇〇〇年七月），頁一四九。
㉒ 李守孔，〈南京臨時政府成立前後清帝退位之交涉〉，《中國近代現代史論集》，第十七編，《辛亥革命》，下冊，頁一五一一。
㉓ 李劍農，《中國近百年政治史》，上冊，頁三三八。
㉔ 張馥蕊，〈辛亥革命時期的法國輿論〉，參閱吳相湘主編，《中國現代史叢刊》，第三冊，頁六三。

從前節所述可知，在長期的南北和談中，美國明顯的站在與英、法、德同一立場，支持袁世凱，並向南方施加壓力。儘管如此，美國公使嘉樂恆並未參加一月二十三日英、法、俄、日四國贊成清帝退位聲明，而國務卿諾克斯亦堅持在南北達成協議之先，決不貸款予任何一方，直至二月初立場未嘗改變，理由是「不便干涉」及「避免誤會」。㉕

蓋此時美國的基本對華政策，誠如美駐華公使館中文秘書鄧尼（Charles D. Tenny）於二月九日面見孫中山所提出的以下幾點宣示：

1.在目前中國的鬥爭對立情勢中，美國政府已竭力嚴守中立。

2.美國朝野對中國廣大人民向持誠摯友誼感情。

3.美國願見中國領土主權之完整永得維護。

4.美國誠願有關政府組織形式問題，應由中國人民自行解決而不受外力干涉。

5.美國為避免授予其他外國政府企圖對中國內政干涉之藉口，遂令美駐華公使館不得給予內爭之一方任何援助，以防止外力用之延長內戰或削弱中國。

6.當中國人民最後能自行解決其政治爭執時，亦即南北能重新團結統一之後，美國在表示其對華之友誼努力將不致落於任何國家之後。㉖

第四節　美國率先承認中華民國經緯

民國元年（一九一二）一月一日，南京臨時政府成立。臨時政府對外的一大任務，便是獲得列強的承認。在列強之中，美國是對華最無野心的國家，自始至終即為新政府盡全力爭取的主要對象。

早在一九一一年十一月十日，鄂省軍政府外交首長伍廷芳即致電其美國老友卡耐基（Andrew Canegie），要求其敦促美國政府承認共和政府。㉗十一月十五日，伍廷芳復透過在紐約的赫斯特（William R. Hearst）報系，向世界各國要求承認。十一月十八日，武昌軍政府外交副代表王正廷拜訪美國總領事格林（John Green），探詢美國承認革命政府為交戰團體以及日後承認共和政府的可能。據格林指出，美國政府只承認事實，革命軍尚未成立可資控制全國的中央政府，此時美國無法考慮承認問題。㉘

另一方面，自辛亥革命成功之後，孫中山即在外交上積極部署，努力爭取各國承認，並極力設法與美國國務卿諾克斯會晤，冀望美國政府對其所領導之革命勝利予以重視肯定，惜均無結果。中山先生私人駐美代表荷馬李雖亦曾多方設法安排孫中山與諾克斯會晤，亦未成功。㉙

㉕ 王綱領，前引文，頁一〇二二。

㉖ 楊日旭，〈美國國務院外交關係文書中關於中山先生的記載〉，《孫中山與近代中國學術討論集》（民國七十四年十二月），第二冊，頁二〇二一—三。

㉗ 王綱領，前引文，頁一〇二四。

㉘ 陳驥，〈美國對華政策及其輿論〉，《中華民國建國史》，第一篇，《革命開國》(二)，頁一〇一〇。

㉙ 楊日旭，前引文，頁二〇四。

當時，美國政策深受英國影響，對中國革命堅持「嚴守中立」立場，故孫中山雖鍥而不捨，對爭取美國政府同情和承認共和政府不遺餘力，但一時未見成效。

及民國元年一月一日，孫中山在南京就職臨時大總統。五日，孫中山發表「告友邦書」，除闡述中華民國立國精神與新政府的對外立場外，並深望中華民國「得列入公法所認國家團體之內，不徒享有種種之利益與特權，亦且與各國交相提契，勉進世界文明於無窮無窮。」㉚這是南京臨時政府成立以來，首次將要求承認民國的意願正式公告於列強。同時，外交總長王寵惠分別通牒美、日、英、法、德、俄等國，南方議和代表伍廷芳亦致電駐北京、天津各國公使，請求嚴守中立，並承認民國。

在一連串外交攻勢下，我們看到美國方面產生一些微妙的反應。在孫中山就任臨時大總統後不久，美國駐香港總領事安德森（George Anderson）即向國務院建議「整個革命運動的基礎，在目標上、財政上、政治上既是美國式的，美國應立即承認此一臨時政府，以表支持。而且，孫博士及其左右參謀既受美國教育，顯示有意聘請美國人為顧問，亦即有意尋求美國的幫助、同意與合作，此為美國發展在華利權的黃金時機。」另美國駐上海總領事魏得（Amos P. Wilder）則表示保守的意見，他認為「孫博士維持局面之能力不甚確定，因南京無人能獲得中國最重要人物袁世凱的信任。」美國公使館中文秘書鄧尼亦表示，「只要中國南北消除歧見，達到統一，承認一事，當不後人。」㉛

同年一月三日，美國眾議院外交委員會主席薩爾滋（William Sulzer）在國會中提出「祝賀中國的愛國之士獲得今天的成功；對於他們廢止專制、建設共和國的努力寄予同情，贊成儘速承認中華共和國」的兩院聯合議案。接著美國國會上下兩院即於二月二十九日通過一決議案，慶賀中國共和政府的成立。㉜是為美國國會立法當局對承認中華民國問題的最早有利表示。又在此議案通過的前後，美國亞細亞艦隊司令馬多克上將（Admiral J.B. Murdock）復訓令在中國沿海的美軍船艇受到懸有中華民國國旗之中國艦艇敬禮時，應一體還禮，㉝這等於實際上的承認。

這時美國輿論亦對華轉趨友好。傳教士團體，在美中國留學生、華僑、「美中協會」（China Society of American）、「中美司法聯盟」（The Chinese-American League of Justice）、克拉克大學（Clark University）、「中國承認問題討論會」等，均敦促國務院立即承認中華民國，並批評國際銀行團員鼓動其政府利用「承認」問題向中國進行敲榨。㉞

美國國會雖然已作出對華承認之有利表示，美國輿論亦同樣敦促國務院立即承認，但美國政府對於當時要求承認的電文，均未置答。美國政府之所以對華承認問題持比較審慎的態度，部分原因是因為國際環境的緣故。英、日等國已經要求美國對承認問題採取「共同磋商，一致行動」的原則。英、日希望在承認之前，中國新政府能表明信守以前的條約、慣例、協定所給

㉚《國父全集》，第二冊，頁二八。
㉛王綱領，前引文，頁一〇二〇—二一。
㉜傳啟學編著，《中國外交史》（臺灣商務印書館，民國六十一年四月改訂一本），上冊，頁二三六。
㉝彭澤周，〈辛亥革命與日本西園寺內閣〉，載吳相湘主編，《中國現代史叢刊》（文星書店，民國五三年十一月），第六冊，頁五。
㉞王綱領，前引文，頁一〇二七。

予外人的權利、特權。美國國務院基於國內要求承認中國新政府的壓力，於五月六日向駐華公使嘉樂恆徵詢「應否承認」中國新政府的意見，嘉樂恆當時的答覆是：「應該從速承認」。六月間，繼任之國務總理兼外交總長陸徵祥為兼謀安定袁世凱政權，乃再向美、日等國提出承認民國的請求。美國國務院據此要求，乃於七月廿日照會英、法、俄、德、日、義、奧各國政府，是否願即承認民國政府，並謂美國民意均主張立即承認中國新政府，美國政府不便久違民意。這是美國主導外交的展開，以期構成各國承認中華民國的壓力。但當時各國皆欲就承認問題，在華爭取若干權益，所以他們採取「共同磋商，一致行動」的對華外交立場，尤其日、俄兩國，更欲在各國在華一般權益之外，爭取其在滿、蒙之特殊權益。因此列強對於美國復電，竟無一國贊成即時承認，咸認時機尚未成熟。俄國主張須俟中國政府正式成立，始能承認；法國除同意俄國主張之外，並且加上「在新政府對於外國在華權益及條約未給予正式保障前，不能承認」；英國也以為「（新）政府沒有履行條約義務的能力」，並表示「不希望一國單獨承認」；至於日本亦以「當前的政治組織，是暫時性的」為由，加以反對。其間，美國駐華公使嘉樂恆曾勸使日本駐華公使贊同美國對於承認之立場，不得結果。九月廿日，國務院新任國務卿前遠東司長威爾森（Huntington Wilson），通知駐華公使俟中國臨時政府終止，民選國會成立，憲法制定，依憲法成立永久政府後，再予承認，以維持列強對處理中國問題，採取「共同磋商，一致行動」的立場。[35]至此，美國因承認民國問題所主導的一波外交，並未得售。

美國之所以暫予擱置外交承認中國的決定，據邵宗海的研究，有下列幾個考慮因素：

第一個考慮的應是「門戶開放政策」（open door policy）的維持。美國不管在革命之前或之後，對於整個中國的政策，還是在維持中國之領土完整與門戶開放，充分提供各國之商業機會均等。所以，它秉持不干涉中國內政的原則，就是要保持中立的效果，也就是阻礙日本積極參與中國內部亂局的因素。它遲緩對中國新政府的承認，也是主要在維持與列強合作的原則。因為只有列強的配合與合作，門戶開放的政策才能維持。

第二個考慮的因素，是為了抵制日本與俄國當時對中國的野心。譬如說日本在東北獨佔性的權益要求，以及俄國在外蒙之侵佔企圖，均可說明兩國之野心。張忠紱曾指出，美國政府之所以在此時此刻從緩承認中國政府，最主要因素是鑒於日本與俄國皆欲利用外交承認問題對中國別具企圖，如果美國不顧其他列強態度而採取單獨承認中國政府的措施，可能會招致英、法之反感，進而英、法可能逕與日、俄進行合作。如果等到中國正式政府成立之後再予以承認，就可得到英、法、德支持的一致行動，如此則可對日、俄之強烈企圖有一制衡力量。

第三個考慮的因素，便是民國元年至二年期間，中國境內軍閥派系林立，南北亦因孫中山與袁世凱各據一方而相互對峙，美國在外交承認的步驟裡，很可能因無法確定誰才是中國最後真正的領袖而暫予擱置。[36]

美國承認中華民國政府的問題，誠如前述，雖有積極的醞釀和推動，但在共和黨保守派塔

---

[35] 陳驥，前引文，頁一〇一—一〇二。

[36] 邵宗海，〈美國外交承認中華民國始末〉，《國父建黨革命一百周年學術討論集》（近代中國出版社，民國八十四年三月），第一冊，頁三七七。

虎脫總統(William H. Taft, 1857-1930)任內(一九〇九年三月至一九一三年二月),終未解決。塔虎脫在出任總統前,曾任菲律賓總督,也訪問過中國和日本,他對遠東問題的了解,遠勝過其前任老羅斯福(Theodore Roosevelt, 1858-1919)總統。在他出任總統後,對華採金元外交政策,其用意在藉對華積極投資,以介入中國事務,從而維護「門戶開放政策」,保持列強在中國勢力的均衡。為符合此一原則,塔虎脫在處理中國問題時,不免過份審慎,採取與列強「共同磋商,一致行動」的協調立場,坐失善用美國民意、開創主導外交的機會。為此,塔虎脫受到美國輿論的不斷苛責,也可能是導致其競選連任失敗的因素之一。㊲

及民主黨進步派的威爾遜(Woodrow Wilson, 1856-1924)當選總統後,美國輿論及民意代表又掀起一股承認中華民國的熱潮。民國二年一月二日,美國國會參眾兩院通過由參議員培根(Bacon)領銜所提「立即承認中華民國政府」的決議案。美國國會既一再表示其對華承認的外交立場,而即將就任的威爾遜,復標榜其理想主義的道德外交,乃予美國在列強對華承認問題上採行主導外交的突破機會。三月四日,威爾遜就任美國總統,袁世凱致電慶賀,以示友好。自威爾遜就任後,美國輿論對承認中國呼聲日益升高,報刊言論的鼓吹,美國商會的決議,新任紐約州長(原眾院議員)薩爾滋對國會的活動,在在使承認問題甚囂塵上,如箭在弦。三月十八日,美國駐華代辦威廉斯致電國務院,建議新國務卿布萊安(William J. Bryan)及早承認中華民國政府,防止其他列強藉承認問題,向中國過分要挾,尤其是蘇俄將出兵外蒙攻擊中國的邊防軍,承認中國新政權似可阻遏其侵略計畫。㊳同一日,威爾遜並宣布美國退出在中國的六國銀行團,其所持理由,乃認為美國參加六國銀行團,是侵犯中國行政主權的行為。威氏不贊成塔虎脫的金元外交，而標榜道德外交，他決定：「美國政府在對外關係上，不擬支持國內特殊利益的集團，也不願為美國的銀行家或實業家干涉別國的內政。」美國退出六國銀行團的行動，被日本疑為是美國意欲單獨承認中華民國的前奏，故駐美日使特向美國呼籲，有關對華承認一事，列強務必採取共同之行動，但此時美國承認中華民國的決心，已不再受日本所左右，亦不再受其他列強所勒索。美國認為一旦此種勒索得逞，對自一八九九年以來，美國提倡中國門戶開放及維護中國領土主權的完整，實為嚴重的挑戰。威爾遜為實踐其道德外交，伸張國際正義，阻止列強在中國乘機漁利，決心突破列強的拖延承認政策，要率先承認中華民國。[39]

三月二十五日，外交總長陸徵祥致函美國國務卿布萊安，盼美承認中華民國政府。三月二十八日，布萊安致電美國駐北京使館，令轉告袁世凱，一方面對袁世凱致美國政府之賀電表示感謝，一方面通知袁氏，美政府已在慎重考慮承認中國政府之問題。[40]四月一日，威爾遜總統召集內閣會議，決定在四月八日中華民國正式國會開幕之日，承認中華民國。四月二日，布萊安照會與中國有約各國，聲明美國此項決定，誠盼各國合作採一致行動，共同承認中華民國。四月六日，美國政府訓令駐華美使，俟中國國會召集後，國會組織已完備之時，立即以美總統致中華民國總統之國書送達，藉以正式承認中華民國政府。美國的此項決定，可以說是對日本

---

[37] 呂士朋，〈民國二年美國承認中華民國的經緯〉，《孫中山先生與近代中國學術討論集》，第二冊，頁一七六。

[38] 呂士朋，前引文，頁一七七；王綱領，前引文，頁一〇二九。

[39] 呂士朋，前引文，頁一七七—八。

[40] 張忠紱編著，《中華民國外交史》(一)（正中書局，民國四十六年六月臺二版），頁四四。

民國元年二月二十一日照會的強烈反應。該照會建議各國對承認中國共和政府問題，應採一致行動，並以中國新政府保障列強在華原有一切權益為先決條件，美國對此照會曾表贊同，但附有下列聲明：「以此種行動不致對於承認中國新政府，引起不必須的遷延為限」；由於列強藉承認向中國作非份勒索，致承認問題遷延不決，如今美國決定對承認採單獨行動，乃屬事出有據的正當行為。㊶

對於美國的單獨行動，表現強烈反駁態度的是日本。日本對美國單獨承認之動向極為憂慮，外相牧野尤盼透過外交途徑，改變美國的既定態度，但未成功。㊷四月四日，日本舉行內閣會議，決定要求美國暫行延期承認；同時並策動俄、英、法、德等國，意圖結成牽制美國的聯合陣線。結果除德國傾向美國外，其他國家均同意日本的方針，認為時機未到，不能立即承認民國。日本更於四月十九日草擬「承認條件」送達各國，除重申一九一二年二月二十一日要求中國新政府履行在條約及慣例上的國際義務外，並另提手續方面的建議：「在北京舉行各國外交代表會議，作成各國共同建議的決定之後，予以承認」。日本拖延承認的新提議，得到英、俄、法、意、奧等國的贊同。此時美國對承認中華民國，意志非常堅定，即使得不到各國同意，也要單獨承認，日本的挑戰及英、俄、法等國的牽制，對此時的美國已不起任何作用。㊸

正式國會於四月八日開幕，四月廿五日及三十日，中華民國參、眾兩院分別選出議長，完成組織，議事一切順利，美國乃於五月二日正式承認中華民國。美國適時承認民國政府，對於內外交困的袁氏政權，無異是最大精神支持。㊹為迎接美國此一富有崇高友誼的舉動，袁世凱特意佈置了極為華麗的接受承認國書的大典，北京城裝飾得美輪美奐，到處懸掛五色國旗及美國國旗，人人歡欣鼓舞，慶祝偉大日子的到來。五月三日，國會參、眾兩院通過決議案，致謝美國承認中華民國政府。五月八日，北京各界舉辦大遊行，慶祝美國承認我國，當天全國商會代表、中學代表集會遊行，人人手握中美國旗，走向美國駐北京公使館前，歡呼致謝，以表達中國國民對美國仗義承認中華民國政府的衷心感激。㊺

在列強之中美國率先承認，確實在中國贏得了許多虛譽。除參眾兩院分別通過決議感謝美國政府的友好行動外，許多省議會也採取類似舉動。山西、直隸、甘肅、浙江等省區的都督都致電威爾遜表示感謝，甚至江西都督李烈鈞也致函漢口美領事正式表示謝意。除北京外，上海、南京、漢口、武漢等地也都專門為美國的承認舉行了慶祝活動。但孫中山及一些國民黨領袖則擔心，這種承認只能增加袁世凱的資本。㊻

孫中山自就任臨時大總統之後，即不遺餘力爭取列強對民國的承認，但此時「宋案」已發生，南北關係劍拔弩張，孫袁對立。在孫中山看來，列強之通過「善後大借款」及美國之承認北京政府，都是直接助長袁世凱聲勢，間接打擊南方的不友好行動，國際正義難伸，得道者寡助，一路跌跌撞撞走來，孫中山的心中充滿著悲苦。

㊶ 張忠紱，前引書，頁五三。參閱註⑳說明。
㊷ 林明德，《近代中日關係史》（三民書局，民國七十三年八月），頁四六。
㊸ 呂士朋，前引文，頁一七八。
㊹ 郭廷以，《近代中國史綱》（香港中文大學，一九七九年），頁四三四。
㊺ 呂士朋，前引文，頁一七九—一八一。
㊻ 陶文釗，《中美關係史（1911-1950）》（重慶出版社，一九九三年十月），頁一二。

第四章　民初政局與美國

第一節　美國與善後大借款

在中國近代史上，美國對華態度一向以友善著稱，它對中國沒有領土的野心，它與中國的貿易額既少，對中國的投資更微不足道，故在十九世紀末葉前對華利權的獲得只有跟進，沒有爭先。但是這種情形到了一八九八年後逐漸改變。菲律賓的佔領既使美國介入遠東事務圈中，對華事務的干涉乃告積極，「門戶開放政策」自此成為美國對華外交的基調，歷數十年而不變。雖然老羅斯福總統對中國政治有干涉的行動，對經濟有擴張伸入的野心，但是對於前者，僅在消極方面強調門戶開放與領土完整，在東三省以滿足日本來對付俄國；對於後者，他並未準備參加湖廣鐵路借款。自塔虎脫出任總統後，基於其在遠東耳濡目染的經驗，決心不繼承老羅斯福之「以口頭及文件約束日俄野心」政策，改採以財政投資作為武器向彼等挑戰，在中國（尤其是東北）擔任警察的任務，以抵制門戶開放的破壞者之過度擴張。此一「金元外交」在美國銀行團駐華代表司戴德（Willard Straight）大力推動之下，著名的錦瑷鐵路計畫與滿洲鐵路中立案之提出，幣制改革及東北實業借款的簽訂及湖廣鐵路借款之參加，均使日俄外交家狼狽一時。但由於三國協約的形成，英國對此等計畫不能正面支持，致使前兩者不能實行，而後兩者亦因國際關係之轉變而引出國際對華借款集體控制的產生。❶

在中國革命之前，滿清政府曾於一九一一年四月十五日與英、法、德、美四國銀行簽訂幣制借款合同，借款額為一千萬金鎊。此宗借款雖已簽訂，但因中國內亂之故，迄未發行債票。軍興以後，中國南北兩方財政均極困難。各國既未承認南方政府，故除日、俄兩國因欲乘機漁利，曾向南方接洽借款外，他國均未與南方政府有任何借款接洽。至於北方政府雖為各國對華交涉之對象，但各國因在政治上對華已採取嚴守中立、一致合作之態度，故各國在中國南北和議商定、統一政府成立之前，終不願與中國進行借款交涉。此種態度，以美政府持之最力。❷

當一九一一年十月二十八日美國駐北京使館向華盛頓政府報告，中國政府已與英、法、比三國財團簽訂合同，借款一萬五千萬佛郎，美國國務卿立即電令美國駐北京使館，向中國政府表示，此宗借款將影響幣制借款之前途，並將影響中國對外之信用。及十一月十七日駐北京美使電告，四國銀行團駐北京代表均願借款袁世凱，作日常費用，以便中國政府維持北方之秩序。美國國務卿電覆謂，除列強已有一整個計畫，援助中國應付到期之外債及一般行政費外，美政府不贊成於此時借款中國。列強如已有一整個計畫借款中國，則此種借款應限於短期債款，其用途應限於償付到期之賠款與外債，及中國之一般政費，但不能以之做為內戰之費用。此種借款應遵守中立之原則，是以必須獲得中國各方之許可。此種借款之目的，既在保衛各國在華之共同利益，故應歡迎一切與中國有重要關係國家之國民參加。❸

逮十二月初旬，英、法等國政府已決定，四國銀行團可以少數之款額借給袁世凱，做普通行政費用，維持北京政府，以便中國南北兩方和議早日獲得圓滿之結果。駐北京美使亦認為有借款予袁世凱之必要，倘北京政府因財政困難，不能維持，則中國或將陷於無政府狀態，列強之干涉亦將不免；若然，則屆時美國雖欲維持中立，亦有所不能。且列強合作借款予袁世凱，亦可對中國南方領袖之氣焰予以打擊，不致要求過奢，致中國南北兩方和議不能成立。美政府乃應允與各國合作，以少數之款額借給北京政府，做日常用費；但此種借款，必須如英政府之原議，遵守中立之原則，由列強共同合作，且須根據一整個計畫，以保衛各國在華之共同利益。❹

及中國南北兩方和議成立，清帝於民國元年二月二十二日下詔遜位，英、美、法、德四銀行團始獲得四國政府之贊助，同意借款予中國統一臨時政府。自是以後，北京政府乃進行與四國銀行團交涉借款，一方面磋商大借款之條件，一方面商請四國銀行團先行墊款若干，以應急需。這項名為還清舊債，用於建設，「善」處革命之「後」，實為中國「除舊」債「布新」政，改

❶ 王綱領，《民初列強對華貸款之聯合控制——兩次善後大借款之研究》（東吳大學中國學術著作獎助委員會，民國七十一年八月），頁一四九—一五〇。

❷ 張忠紱，《中華民國外交史》㈠，頁五五。

❸ 張忠紱，前引書，頁五六。

❹ 同前註。

造中國的「改造大借款」，歷經唐紹儀、熊希齡、周學熙三位要員，費時年餘的交涉，由四國銀行團復擴大為六國銀行團，分分合合，歷盡曲折，其複雜過程非寫一部大書無法充分交待。❺

俞辛焞認為，在列強心目中，「善後大借款」並不是為了革命後復興經濟的經濟借款，而是政治性的借款。列強意欲通過這項借款，把北京政府和袁世凱置於自己的掌握之下，從而保護和擴大他們在中國的利權。借款是達到這一目的的最有效手段。❻六國銀行團與中國政府議定之大借款合同，最後因僱用洋員問題爭議難決而不能簽訂，銀行團乃停付墊款。當銀行團成立之初，美政府贊助甚力，但美政府之意，原在聯合各國借款中國，一以援助中國復興，一以防止中國因借款不當而陷於破產，初未料及自四國銀行團改組為六國銀行團後，野心之國家竟利用銀行團之組織，脅迫中國，以達其政治上之目的，致借款交涉竟延長經年，不能獲得圓滿結果。❼

自民國二年二月美國財團因政治與經濟之不安狀況，即已嚴重考慮，如借款合同不能早日簽字，則美國財團或將退出。駐華美使於二月二十一日電告美政府，即已謂六國銀行團此時之目的已非合作以援助中國，其目的為合作以達其政治上自私之目的。及美國新總統威爾遜於三月四日就職後，美國財團即於三月五日致函國務卿，探詢新政府對借款交涉之意見。駐法美使曾於三月八日向美政府建議，謂借款合同如不能立即簽訂，則六國銀行團應立即解散，予中國以自由借款之機會。若美政府向其他五國正式宣告，借款合同應立即成立，否則美國將退出銀行團，並採取自由行動，則上述之目的可達，美國亦可獲得中國之好感。美總統威爾遜乃於三月十八日向報界發表聲明，申述美政府之意見，謂六國銀行團借款中國之條件，有害於中國行政之獨立，跡近強迫干涉中國之財政與政治，美政府對此不能贊同。「吾人（在華）之利益限於門戶開放——其門戶為友誼的與互利的，只有此種門戶，吾人願意步入」。威爾遜之聲明發表後，美國財團乃根據美政府之意旨，於十九日分電其他五國財團，及美國財團駐北京代表，並轉致中國政府，告以美國財團已決定退出善後借款交涉。❽

美國宣布退出財團之後兩天，宋教仁被刺，由於此案之發生，袁世凱於四月初向其老友英使朱爾典表示，願意接受各國洋員聘任計劃，財政總長周學照亦通知銀行團駐京代表，若利率由五·五%降至五%，則中國政府可不經過國會，立即簽訂借款合同。列強方面，由於深怕美國單獨對華貸款，對於利率並不計較，對洋員聘任問題亦表示可予通融。四月廿六日，袁世凱終不顧國民黨領袖孫中山等人之反對，違法與五國銀行團訂立善後大借款二千五百萬英鎊。❾

孫中山一直反對此項大借款，據柏烈武口述：「總理回到上海，首向滙豐銀行交涉，不應交此項非法借款，有害共和。」❿當談判將成時，中山先生又與胡漢民分別要上海、香港滙豐

---

❺ 詳參王綱領與張忠紱前引書。

❻ 俞辛焞，《辛亥革命時期中日外交史》，頁二四五。

❼ 張忠紱，前引書，頁六五—六。

❽ 同前註，頁六六。

❾ 王綱領，前引書，頁四八—四九。

❿ 柏烈武口述，陳紫楓筆記，〈安徽二次革命始末記〉《革命文獻》（中國國民黨黨史編纂委員會，民國五十七年十二月），第四十四輯《二次革命史料》，頁二六三。

銀行速行電阻北京總行簽字，謂「袁總統必不能再被選為總統，請於袁總統任內萬不可借款」，「大借款未經國會通過，政府之借款實為違法舉動，請貴銀行注意」。⑪當獲知「近期將會簽約之消息時，孫中山乃往訪有關各國領事館，提出警告：『如果強行簽約，中國民間將會發生對有關銀行的杯葛運動』。⑫匯豐銀行曾佯表首肯，但實際上五國銀行團仍堅持原議。」

根據德國駐華公使哈豪森（von Haxhausen）關於簽訂書後借款合同致德首相之報告稱：「在有關公使根據聘任合同最後授權銀行家簽字後，四月廿六日，發生了用各種詭計阻撓銀行代表與中國政府交涉的企圖。是日清晨，激進的國民黨派代表向袁世凱抗議，反對借款將不得國會的同意而簽訂。當晚該黨黨員於政府與銀行代表開會簽字前，又提出抗議，但遭到同樣的失敗。最後，孫逸仙再設法阻止簽字。他對匯豐銀行上海代表聲明，如果借款不經國會批准而簽訂，則揚子江以南各省及陝西與山西將起而對抗北京，並以武力抗議袁世凱這樣的專斷行為。這個威脅也不發生其預期的效力。英國公使由上海接到這個消息後，即授權英銀行代向倫敦拍發一個安慰的電報。法國公使像我一樣，認為以同樣方法電告我們政府防止國內方面將來受到有作用的新聞報導的不利影響是適當的。」⑬

針對孫中山的反對意見，一九一三年四月二十八日的倫敦《泰晤士報》（*Times*）報導說，孫中山警告，「拋開議會而進行借款，必將導致中國南北兩方之間的分裂。」⑭從「宋案」到「大借款」，孫中山後來在〈中國革命史〉一文中痛切指出：「顧袁世凱之所為，則無一不與民國為仇，其不軌之心，日甚一日。袁世凱……有推倒民治，恢復帝制之決心，於狙殺宋教仁，小試其端；於五國借款不經國會通過，更張其燄。」⑮

第二節 美國與二十一條交涉

民國三年七、八月之交，歐戰爆發，歐洲強國先後捲入了戰爭的漩渦。日本乘列強無暇東顧之際，對德宣戰，並無視中國之中立，派兵入侵山東，佔領中國領土，復利用袁世凱意欲稱帝的好時機，透過日置益公使，向袁提出二十一條要求。歷經數月的談判交涉，袁氏終於屈服，並於翌年五月九日，覆文接受了外交史上最苛毒的二十一條件，從此「中國人跌入了無比悲憤、屈辱、失望、激動的情網中，視五九為史無前例的奇恥大辱。」[16]

二十一條要求為日本「大陸政策」之集大成，交涉期間適值歐戰之第二年，正當英、法、德、俄四國置身於戰場作殊死之鬥，無暇東顧，中國國際政治經濟舞臺成為美日兩國互爭雄長之局，日本趁機急速在華擴張勢力之際，亦即美國初次在遠東充當「警察」之時。[17]

⓫ 《孫中山年譜長編》，上冊，頁八〇八。

⓬ 日本產經新聞，古屋奎二編著，《蔣總統秘錄——中日關係八十年之證言》（中央日報印行，民國六十四年十月）．第四冊，頁四五。

⓭ 孫瑞芳譯，《德國外交件有關中國交涉史料選譯》（商務印書館，一九六〇年出版），第三卷，頁三七八。轉引自《孫中山年譜長編》，上冊，頁八〇八。

⓮ 韋慕廷著、楊愼之譯，《孫中山——壯志未酬的愛國者》，頁八八。

⓯ 《國父全集》，第二冊，頁三六一。

⓰ 李雲漢，《中國國民黨史述》（近代中國出版社，民國八十三年十一月），第二編，頁二一七。

⓱ 王綱領，《歐戰時期的美國對華政策》（臺灣學生書局印行，民國七十七年七月），頁四十。

職此之故，列強之中，對二十一條要求反應最強烈的，莫過於美國。民國四年一月二十二日，美國駐華公使芮恩施（Paul Reinsch）由中國外交顧問顧維鈞口中得知此事，芮氏即向美國國務院報告，謂其中內容除備載日本對滿蒙、山東等地之特權外，亦含有影響中國主權及與華有關係列國之利益的條款，請國務卿布萊安與英國共商對策。時國務院遠東司長威廉斯（Edward J. Williams）亦覺得美國身為「門戶開放政策」的監理人，有道德義務出面阻止日本對此一政策的破壞，乃向布萊安提出警告：「一旦日本攫取中國的資源，對美國所構成的威脅將較諸從前重大」。但布萊安本人對於中國事務，既缺認識，又乏興趣，故於接到芮恩施之報告後，並未表示任何意見。威爾遜總統的外交顧問豪斯上校（Colonel House）、法律顧問藍辛（Robert Lansing）等人則除了主張謹慎從事外，亦未採取任何行動。至二月一日，芮恩施已探知二十一條要求中的第五號內容，在他的再報告中，主張中國應將此一「秘密」公開，相信事先不知此事的英國，必將基於英日同盟的立場，出面仲裁協調。此一主張頗獲威廉斯的贊同。威廉斯係前任美國駐華公使館代辦，對於日本若干年來在東北、福建兩地排擠美國貿易情形，耳聞目睹，認為若訴諸輿論制裁日本，應為可行之道。但他又深知「英國之手已被綁住」，故而態度遠較芮恩施消極。此時的威爾遜總統，一如布萊安，不相信日本膽敢猖狂至此，但在一月二十五日《芝加哥新聞》（*The Chicago News*）及二十七日《紐約日報》（*The New York Times*）先後有「中國若允諾日本之要求，則將成為日本附屬國」之報導後，乃向美駐日使古斯禮（George W. Guthrie）查詢，後者回電肯定此事，但表示無法獲得進一步情報。⑱

二月二日，布萊安訓令美駐英使佩紀（Walter W. Page）向英外務部探詢，並表示美國準備以一九〇八年的「路特高平協定」（Root-Takahira Agreement）——美、日兩國任何一方對華行動之前，應先照會另一方，質問日本，但英外務部並未自英駐日使格林（Sir Cunyngham Greene）或英駐華使朱爾典得到確定報告。朱爾典在二月八日前，並未自日駐華使日置益得到官方的複本，僅擔心一旦袁世凱的地位受損，中國將發生動亂，而認為此一交涉對英損失不大，不需驚訝；格林則不願見英、日失和，對於第五號內容雖明知其詳，卻仍三緘其口。⑱

二月八日，日本通過駐美使珍田捨己將二十一條件內容避重就輕地（不包括第五號內容的十一條）通知美國國務院。另一方面，顧維鈞已將二十一條要求寄予美國各大報社。二月十一日，《華盛頓郵報》（*Washington Post*）刊出二十一條全部內容，嗣後美國各地重要報紙，如《芝加哥先鋒報》（*The Chicago Herald*）等亦陸續登載，並討論第五號內容，立刻引起美國各界人士的反感。⑲布萊安在閱讀此一報導之前，芮恩施已多次向他報告二十一條件之真實內容，而與東京政府所發出之照會內容，大有出入，乃訓令美駐日使古斯禮，根據「路特高平協定」，向日本提出五項質問，並表示日本此等要求，不僅歧視其他列強之權利，且危及中國之獨立及主權之完整。但布萊安所要向日本表示的內容，充分顯示他對二十一條件的「樂觀」。一方面他與威爾遜總統皆關心第五號的存在，另一方面他認為「日本要求太多而中國讓步太少」。此外，他又認為遠東之紛爭，主要為中日雙方彼此猜忌所引起，中日兩國既為鄰邦，應本諸友誼精神，避免重

---

⑱ 同前註，頁四二。

⑲ 林明德，《近代中日關係史》，頁七三。

大的爭執。因此，他心中乃衍生一「折衷調和之道」。[20]

美駐日使於二月廿一日向日本外務省提出質疑之次日，日本外相加藤高明深知秘密無法保守，乃向古斯禮表示第五號係日本之希望（requests），而非要求（demand），同時並解釋若干要求內容係報紙所誇大及曲解。同日，珍田捨己亦向國務院提出類似之備忘錄，有所解釋。二月二十六日，威廉斯向布萊安提議，在確定「希望條款」與「要求條款」有所不同之前，美國不妨與日本就「要求條款」達成交換條件。三月一日，國務院顧問藍辛贊成與日本交換條件的看法。他認為，美國可默許日本對南滿及山東的要求，只要日本宣布答應左列三事：

㈠對美國影響土地所有權之立法不生異議，除非該項立法有違現存之權益；

㈡重新確認門戶開放之原則，特別是因二十一條要求所涉及的領土（完整問題）；

㈢日本人民不可在這些領土上壟斷貿易，日本（所經營的）鐵路或其他運輸之運費，不可對其他國家差別待遇。

藍辛及威廉斯的權宜之計，顯然認為，只要日本維持商業機會均等，不公然佔領中國領土，美國可以默認南滿、山東為日本的勢力範圍——至少在經濟方面如此。[21]

惟威爾遜總統及布萊安國務卿並未接受藍辛及威廉斯的權宜主張。三月十三日，布萊安經威爾遜批准向日本發出一份長達二十頁的照會，這是美國對二十一條的第一次正式表態。照會說的調子是溫和客氣的。這個照會可以說是先予後取。美國在山東、南滿、東蒙對日本做出讓步，但要求日本不排擠美國在中國其他地方的利益。它與「路特高平協定」同樣是從門戶開放政策的一個倒退，因為它起碼允許日本獨霸南滿、東蒙和山東。日本對這個照會並不買賬。[22]

另一方面，日本為了迫使袁世凱政府接受二十一條，居然調兵遣將，實行軍事恫嚇，處於困境的袁政府冀望美國積極支持中國。三月廿三日，袁世凱接見芮恩施，希望美國作出這樣的表示：關於外國在華權益問題，無論根據條約、政策還是傳統都與美國密切相關，若無美國參加是不能討論的。芮恩施隨即向國務院報告說，繼續美國現今的政策，「可能使中國的感情急劇轉變為反美，我們的在華影響會就此告終，我們援助中國政府或者維護我們在華權益的機會就會喪失殆盡」。同時與中國有切身利害關係的美國商業、傳教、教育組織也紛紛要求美國政府干預中日談判，保護他們的在華利益。美國在華傳教士領袖巴斯福主教（Bishop Bashford）亦屢次要求美國政府保護美國人之利益，中國耶魯同學會、中國留美學生聯盟（Chinese Student's Alliance）亦紛紛致書美國政府及報刊，請求美國伸出援手。威爾遜因此打算對日採取較為強硬的立場。但布萊安認為，發表批評日本的文件是不明智的，像傳教士們建議的那種抗議行為，會使美國行動受到懷疑，反而會使中國的事情弄巧成拙。三月二十六日，他指示古斯禮向日本政府進行解釋，表示美國無意在福建省建立租借地，美國同意中日間達成不割讓福建省、不准任何大國在福建沿海建立煤站和海軍基地的安排。[23]

更妙的是，日本為了使中國對美國的干涉絕望，故意散佈說，指望美國採取任何行動都是

---

[20] 同註[17]，頁四四—四五。

[21] 同前註，頁四五—四七。

[22] 陶文釗，《中美關係史（一九一一—一九五〇）》，頁二四—二五。

[23] 同前註，頁二六；王綱領，前引書，頁五二。

徒勞的，因為布萊安「深受珍田捨己男爵的影響，他沒有說一句反對日本的話」。日本駐華公使日置益則對中國代表提到美國對黃種人的歧視，談到美國的海軍力量以及「美國征服亞洲」的可能性。他甚至暗示，中國政府如不同日本合作以抵抗美國的進一步侵略，那真是大錯特錯。布萊安的態度和日本製造的輿論讓芮恩施感到吃驚，他在三月三十日給國務院的電報中指出，如果中國人得知了布萊安三月二十六日通過古斯禮向日本做出的建議——日本人肯定會告訴中國人，他們將感到被美國出賣了。芮恩施認為，與其以這種勢必引起中國人對美國反感的方式進行干涉，不如消極地默認日本人的要求。[24]

芮恩施的電報和中國事態的發展，引起威爾遜的「極大關注」，他終於決定，「條件允許時」要積極行動。四月十四日，他指示布萊安兩點：第一、接見珍田捨己，對日本仍然堅持第五號要求表示關注；第二、通知芮恩施，美國沒有默認日本要求。翌日，布萊安致電芮恩施，授權他以非正式的、非官方式的向中國方面表示，美國對於維護其在華義務和條約權利仍感興趣。這是二十一條交涉以來，美國政府首次向中國政府表明支持立場。十六日，威爾遜指示布萊安與日本大使進行一次「十分坦率的談話」，表明美國把「如此嚴重違反門戶開放原則、侵犯中國的行政和經濟完整的事件，看得十分嚴重」。二十七日，布萊安在與珍田有點激烈的談話中表達了對日本在華增兵的強烈不滿，並指出，美國對中日交涉的沉默，已經引起了對美國政策的猜疑和誤會，暗示要公布所有與二十一條有關的函電。同日，布萊安又指示芮恩施向中國政府表示，對於中國抵制日本「過於嚴重損害其主權、行政獨立、領土完整的要求，美國予以同情」。[25]

四月廿六日，中日交涉續開，日本提出修正案二十四條。五月一日，中國修正案於翌日晨送達外務省，仍然拒絕允諾日人在南滿及東內蒙之居住、購地權，第五號亦不接受。另一方面，珍田大使將四月廿六日之日本修正案交予國務院，威爾遜於五月一日向珍田表示，若干條文有違中國主權，日本所享有的一些特權更是「強人所難」。㉖

中日二十一條交涉的正式談判，自民國四年二月二日開議起，至四月二十六日日置益提交第二次修正案止，共歷時八十四天。正式會議二十五次，會外折衝亦不下廿餘次，幕後的奔走疏通尚不在內。㉗中日兩方既均已提出最後方案，而兩方所提之條款相差甚遠，日本政府乃於五月四日上午，舉行緊急內閣會議，確定二十一條交涉的最後方案，決定對中國發出最後通牒。所謂最後通牒，意味著如果北京政府不接受日本四月二十六日最後方案時，兩國間首先要斷交，隨後以戰爭手段達到要求。因為這是重大的外交政策決定，必須與元老協商得到其同意。同日，元老與內閣召開聯席會議，山縣、松方、大山三元老出席，加藤報告了二十一條的交涉經過及提出最後通牒的必要性。山縣認為事態發展至此，責在加藤，應由加藤做為特派全權大使前往中國試行最後的談判，松方也贊成此意見。此時袁世凱派其政治顧問有賀長雄赴日請求井上、山縣、松方撤回第五號等要求，元老頗為所動。各元老在對華、對袁政策上，從一開始就與加

㉔　陶文釗，前引書，頁二六—二七。
㉕　同前註，頁二七。
㉖　王綱領，前引書，頁五四。
㉗　李毓澍，《中日二十一條交涉》(上)(中央研究院近代史研究所專刊⑱，民國五十五年八月)，頁三四一。

藤存在分歧，尤其在第五號是否提出的問題上，此時依然與內閣對立，質問內閣是否有緩和時局的方法。可以看出，元老對於提出最後通牒一事，極為慎重。[28]

北京方面當然不會知道日本內部這種分歧與爭論，北京政府亦於五月四、五兩日在大總統府舉行首腦會議，反復討論此事，只有陸軍總長段祺瑞持強硬態度，提出拒絕日本的要求，主張「寧為玉碎，不為瓦全」，謂「如此遷就，何能立國？」[29]但對拒絕到底，直至對日一戰，在實力方面並無信心。另一方面，北京政府接駐日公使陸宗輿之報告，得知形勢嚴重，乃於五月六日致電陸使，令向日政府再行表示讓步，同時並向北京日本使館進行磋商，惟日本政府此時已決定對中國發出最後通牒，不願繼續磋商。日使日置益於五月七日下午三時將最後通牒送交我外部。北京政府於收到日本之最後通牒後，即於翌日召開緊急會議，會議結果，「終因我國國力未充，目前尚難以兵戎相見」，乃決定忍辱承認。[30]五月九日，袁政府接受最後通牒。

在二十一條交涉過程中，袁世凱政府特別寄望於美國出面干涉，結果卻令人失望。當五月四日報紙披露，日本將對中國提出最後通牒。六日，芮恩施證實了這一點。同日，布萊安採取了三項措施：第一、他致電日本首相大隈重信本人，希望中日兩國政府「以耐心與友好的精神進行談判」，「直到找到解決爭端的某種友好辦法」。第二、他以總統名義指示芮恩施，向中國政府做同樣表示。第三、他籲請英、法、俄國政府與美國一起，對中日談判進行干預，以免談判破裂。[31]但美國所發出的「共同勸告」，並未獲得對方的熱烈響應，法國以「日本既已修正原案」，俄國以「吾人正期待日本之援助」，英國則以「日本取消第五號，中國必將接受」，並以「已有類似的照會」為由而拒絕美國的邀請。[32]

威爾遜與布萊安在獲悉中國政府接受日本最後通牒後，都感到鬆了一口氣。五月十五日，美國政府向中日兩國政府發出同文照會，聲稱：「正在談判中的任何條款，凡經中國政府承認而對外人在華地位有所變更者，當然應該知照美國政府，使美國得以分享根據最惠國待遇自然增長的特權」。這個照會表明，美國政府所關心的僅僅是不使美國在華利益受到損害；非但如此，它還要求分享日本的侵略成果，而在十九世紀，美國便是常常這樣分享英國和其他大國通過戰爭或別的手段從中國奪得的權益的。㉝

因宋案而發動二次革命失敗，流亡在日本繼續指揮軍事討袁的孫中山和革命黨人，對二十一條採取什麼樣的態度？革命黨人在東京散發了揭露二十一條的油印資料。在日本檔案中，查到民國四年四月下旬陳其美的秘書黃實向中國國內、新加坡、舊金山等地散發的有關二十一條的材料(約三千餘字)和以東辟㉞的筆名所寫的《揭破中日交涉之黑幕以告國人》的油印資料(五千餘字)。後者是在東京散發的，就交涉之遠因、近因真相乃至交涉之關係一一做了揭露和分析。

㉘ 俞辛焞，《辛亥革命時期中日外交》，頁五〇五—五〇六。
㉙ 曹汝霖，《曹汝霖一生之回憶》(傳記文學出版社，民國五十九年六月)，頁九九—一〇〇。
㉚ 張忠紱，《中華民國外交史》(一)，頁一五六。
㉛ 陶文釗，前引書，頁二八。
㉜ 王綱領，前引書，頁五五。
㉝ 陶文釗，前引書，頁二九。
㉞ 日警認為「東辟」係居正筆名，此材料由其起草，交孫中山等中華革命黨散發。

據此材料，革命黨人是反對二十一條，揭露日本的侵略和袁的賣國罪行，但主要反對袁，對日本留有餘地。當時他們寄居日本，且為反袁爭取日本的支持，所以對二十一條的態度不免有矛盾之感。據俞辛焞指出，孫中山和革命黨人並有意利用二十一條交涉所造成的有利時機，繼續準備第三次革命。據革命黨人估計，二十一條交涉結果有兩種可能：一是交涉不成，便引起兩國兵戎相見；二是如袁接受二十一條，便激起全國上下反袁的新高潮。若為前者，如王統一所說的那樣，「日本會不顧一切直逼北京推翻袁政府。謳歌袁政府者只有袁派自己，多數國民早就不滿袁政府，處於人心背離之狀態。故此，如日本加以一擊，袁政府則必將崩潰。若為後者，「中國人心必將更加反對政府。因此，乘此趨勢，做為政治策略，一面非難日本之要求，一面極力攻擊袁政府此次之措施，大力鼓吹反袁，使中國人心更加激烈。同時，努力懷柔民心，待時機成熟後，再舉旗起事」。這是孫中山準備在八月，以廣東為中心發動第三次革命的背景。[35]

孫中山洞悉袁氏稱帝野心，盱衡全國形勢，除了組建中華革命軍，積極策動武裝起事外，其開展反袁宣傳、揭露袁的賣國罪行，更不遺餘力。早在三月十日，孫中山便致函美國華僑同志，指出「中國目前之交涉，一旦退讓，中國亦難再有革命圖存之機會」，故呼籲國人「當速即起事，以救亡於未亡之際」。[36]四月九日，中山先生囑謝持將中日交涉之黑幕通告中華革命黨各支部，並提示要義云：「袁世凱原與大隈重信友善，故大隈組織內閣，袁氏大喜，遂以二事要求日置益公使返國與大隈商議，求其贊助。二事者何：一、渠欲稱帝；二、代平內亂是也。及日置返國，大隈贊成。然日本元老雖亦希望中國仍為帝國，而實存以朝鮮視我之心，而又深惡袁世凱，於是強大隈先提出此次條件。故日置公使於開始交涉之初，面見袁世凱，即申言日本國人皆謂足下係排日者，足下能將此次二十一條件完全承認，則日本國人皆信足下而即助足下云。袁世凱本欲承認，而其左右如段祺瑞、湯化龍及外交總長陸徵祥諸人皆大反對。……然綜觀前後局勢，袁終必承認也」。[37]

五月九日，袁世凱政府接受日本的最後通牒之後，北京學生曾致書孫中山（其內容不明），但從孫中山的復信中推測，估計學生是譴責日本侵略性的要求，表露愛國熱情，主張反日運動。孫中山認為袁世凱是「甘心賣國而不辭的禍首罪魁」，「禍本不清，遑言扞外」，為了不忍坐視「艱難締造之民國沉淪」，孫中山在復信中除嘉勉學生的愛國熱情外，特別號召學生諸君認識反袁鬥爭較之反日更為重要。[38]

第三節　美國與中國參加歐戰

民國三年（一九一四）七月二十八日，歐戰爆發。當歐戰爆發之初，北京政府以其與「我國相距尚遠」，只電令各駐外公使探報其駐在國的動態或中立情形，並未立即表明態度。蓋北京

[35] 俞辛焞，《孫中山與日本關係研究》，頁四九六—四九七。
[36] 陳錫祺主編，《孫中山年譜長編》，上冊，頁九四〇。
[37] 《國父年譜》，上冊，頁六六六。
[38] 俞辛焞，《辛亥革命時期的中日外交史》，頁五三二；《國父全集》，第四冊，頁三五七—八。

當局深知，歐洲的戰事如果無法遏止，則進行中的中國對外借款談判勢必難於成功，且恐國內發生危機，兩者將同樣影響其政治的基礎。[39]其後戰爭逐漸擴大，為避免歐洲戰禍波及中國，北京政府不得不採取一連串的消極對策，如宣布局外中立、提議限制戰區等，然此種防堵戰禍的政策因未獲得大國之有力支持，並無法遏阻日本乘歐戰之機，坐收漁人之利的侵華野心。

及日本於八月二十三日宣布對德宣戰，日軍於九月二日登陸龍口後，中國的中立即因日本的破壞而不復存在，中國為對抗日本對山東權益之攫奪，亟思藉機參戰以抵制日本侵略。中國之參戰，前後醞釀兩次，第一次純係中國政府主動，第二次則出之於協約國之誘導，特別是來自美國方面的勸誘。在此專談後者。

民國六年二月三日，美國因德國宣布實行無限制潛艇政策，而宣布對德絕交。翌日，國務院指示駐華公使芮恩施向中國政府通報情況，但並未建議追隨美國的行動與德國斷交，事實上這只是一種外交禮貌，美國國務院並不重視中國的反應。但芮恩施在華任職三年有餘，一再目睹日本對華的加緊控制，認為這是中國脫離日本箝制的大好機會。即在二月四日以後的數天內，芮恩施拜訪了總統黎元洪、國務總理段祺瑞、言論界領袖梁啟超等人，鼓動中國與美國採取聯合行動。不惟如此，總統府美籍顧問福開森（John C. Ferguson）、英籍顧問莫里遜（George E. Morrison）、美國的中國通羅伊·安德森（Roy Anderson，曾為美孚公司駐華代表）和一些英美在華記者，如上海《遠東時報》編輯端納（W.H. Donald）等具影響力的歐美人士也在芮恩施的影響下，紛紛敦促中國接受美國的聯合行動。黎元洪總統初傾向中立，考量的是交戰各方的力量如何？美國支持協約國勝算如何？與德絕交或參戰對國內形勢的影響，這些問題使他躊躇不定。後來經福開森、莫里遜的勸說及海軍上將蔡廷幹、參議院副議長王正廷、外交總長伍廷芳的影響，雖仍有疑慮，但已逐漸接近美國的觀點。國務總理段祺瑞則提出兩項條件：一要財政援助貸款一千萬，二要保證軍事不受外國控制。芮恩施在沒有得到國務院的訓令下擅自作主，承諾將採取充分措施，使中國能承擔與美國聯合行動後的責任，而絲毫無損於中國的主權獨立、軍隊控制及一般行政管理。㊵

二月九日，芮恩施的報告，使藍辛感到不安，威爾遜總統覺得相當困擾，因為駐華美使的行動遠遠超出了國務院對他的要求。藍辛在二月十日給威爾遜的信中寫道：「如果我們鼓勵這種努力，我相信我們必須準備遭到日本的反對。」於是藍辛於同日指示芮恩施，在對中國政府態度表示欣賞的同時，告訴它，沒有一個重要的中立國願與美國採取聯合行動。因此，中國應當嚴肅考慮這一情況，免得孤立。他還表示，美國現在不能對中國做出任何承諾。芮恩施像被當頭澆了一盆涼水。但芮恩施不但沒有把國務院的這份電報向中國政府轉達，反而鍥而不捨地要求國務院重新考慮給予中國保證與援助，甚至談到美國應乘機擺脫日本的干涉，褫奪日本在遠東的控制權。藍辛對芮恩施的固執已見十分不滿。二月二十六日，他再次明確指示芮恩施：美國不能向中國提供芮恩施所擔保的援助，因為那會招致嚴重的反對，使中國遭受它所擔心的

㊴ 黃嘉謨，〈中國對歐戰的初步反應〉，《中央研究院近代史研究所集刊》，第一期（民國五十八年八月三十一日出版），頁三。

㊵ 吳翎君，《美國與中國政治（一九一七—一九二八）——以南北分裂政局為中心的探討》（東大圖書公司，民國八十五年二月），頁一六—一七；另參閱陶文釗，前引書，頁三七；王綱領，前引書，頁一〇一。

侵略，而美國卻無力解救它。藍辛明令芮恩施勸中國不要參戰。[41]

藍辛的電報仍然未能說服芮恩施。他在二月二十八日再次向國務院抗辯，聲稱與美國協調一致是中國抵抗日本勒索的唯一可靠的辦法。他警告說，美國若不給予援助，中國就會放棄對美國的依賴，並將做為日本的被保護國參戰。三月三日，他再次重申他的理由：中國只要確信能得到美國適當的援助，是情願與美國結盟的，而中美兩國的結合，「將排除外國對中國軍事力量的控制」。在威爾遜和藍辛看來，芮恩施實在是太感情用事，太理想主義了，而他們則更多地考慮日、美在東亞的力量對比，尤其是美國不能東西兩面受敵。藍辛在三月二日和十二日的指示中斬釘截鐵地說，既然「協約國迄今為止都同意讓日本在中國放手去幹」，美國政府也「不要求中國遵循美國的行動方針」。這就是說，倘若堅持與日本為敵，就是與所有協約國為敵，美國自然是無論如何不能這樣做的。十三日，他進一步向芮恩施明示，中國現在參戰就意味著讓日本控制中國軍隊，他要芮恩施盡量設法維持現狀。至此，芮恩施便無法再堅持了。[42]

四月四日和六日，美國參眾兩院分別通過參戰宣言，正式向德國宣戰。美國正式對德宣戰後，駐美公使顧維鈞力主中國追隨美國參戰，以通過參戰提高中國的國際地位，收回喪失的各項權益。顧使判定，美國參戰，協約國必勝。他看到，參戰可使中國與美國結成聯合陣線，在未來和平會議中以戰勝國資格以美國為奧援對抗日本。為此，他於四月九日向北京段祺瑞政府發出長文專電，對民國外交格局及未來走向做了全面而系統的闡述。電文指出：「若我隨美入戰，則有四利：我助美戰，與美各自處於第三交戰團之地位。彼時聯邦國須我幫助，允否在我。是我入戰後不受人迫，仍保行動自由，其利一。聯邦國望我加入，原為己計，我若聽之，義務必重，而權利未必多。觀於希望之款尚難邀允，已可想見。美之於我不獨無所求，且有能力與志願以為我助，即如經濟一端，美外部前亦言及，其利二。日之於我，野心不戢，終必思動。我若加入聯盟，不便遽行干涉，況自顧岌岌，更無餘力助我。若我助美之戰，美誼當還助，且有餘力顧我防患未然，其利三。又今均勢之局破，戰後各國如何聯合，未必悉如今日。而美國此次入戰，於聯邦國方面聲勢浩大，戰後於國際上勢力必更見擴張。最近美國總統宣言，亦謂美國此後須操世界政策，是其擬於戰後在國際上大有作為，已可預料。我助彼作戰，將來國交上獲益實屬不淺，其利四。」㊸

北京政府參戰的最大顧慮在於日本的態度。日本一直密切注視芮恩施插手中國對德外交的活動。日本從二月起鼓動中國參戰，當它發現芮恩施改變態度後，就愈加起勁地慫恿北京政府對德斷交。日本過去是反對中國參戰的，關於日本態度的轉變，日本報紙有這樣一段分析：過去日本反對中國參戰，怕中國「將於和平會議得一席地，而獲與日本對等之投票權，則會議處分青島等問題時，將對日本不利」；其實，和平會議上的「發言與投票權視國之強弱而為輕重。故中國雖獲投票權，亦不足與日本抗也。即使投票以多數取決，實際上尤有借於外交術，否則仍不能貫徹主張也」。當時和後來事態的發展，與這一分析完全吻合。日本在鼓動中國參戰的

㊶ 陶文釗，前引書，頁三八。
㊷ 同前註，頁三八—三九；吳翎君，前引書，頁二〇。
㊸ 岳謙厚，《顧維鈞外交思想研究》（北京人民出版社，二〇〇一年十二月），頁三七。

同時，與英、俄、法等國進行秘密交易，要求它們在戰後的和會上支持日本的要求，把德國在山東的權益轉交日本。日本保證對中國施加壓力促其參戰，並在地中海為英國護航。協約國家急切盼望日本做出更多戰爭努力，在二、三日之間先後同意了日本的要求。這樣，一筆出賣中國利權的骯髒勾當背著中國達成了。㊹

在日本壓力下，北京政府開始與協約國就參戰條件積極進行交涉，而在國內則因主戰與反戰陷入政爭，主戰派的段祺瑞圖窮匕現，採取一連串極端行動，先則召開督軍團會議，發表外交意見，繼則在國會開議期間召來暴民及軍隊包圍會場，予國會議員以生命和安全的威脅。最後，黎總統再度免除段之職位，中國政局演變至此，美國乃決定予以忠告。㊺六月四日，美國政府向中、日、英、法四國發出同文照會，其中說，中國是否參加對德作戰，這是次要的事情，「對中國主要的緊迫的問題是恢復並繼續政治統一」，「美國對於中國保持一個聯合的負責的中央政府深感興趣，並衷心希望」，「各個黨派和各方面人士為重建一個合作的政府而努力」，否則，中國將失去它應有的國際地位。美國要求日、英、法等國為恢復中國的聯合和國內和平而與美國採取聯合行動。㊻

美國的照會，首先獲得法國的回應。六月九日，法國表示，若其他協約國家不反對，法國願意配合，但法國並不認為中國參戰是次要之事，正確的說法是：認為中國內部的秩序與和諧是中國參加歐戰的準備工作。倫敦方面無意介入中國的內爭，故婉拒美國的邀請，對北京有所勸告。六月十五日，英國告訴美國，英國不認為中國參戰為次要之事，而列國最好不要干預中國的內爭。㊼

日本朝野對美國的照會十分不滿。日本外務省直接表示遺憾，因美國在進行此事之前，未能先與日本商量，而且美國給予日本的照會居然與給予中國者相同。六月十五日，日本駐美大使佐藤愛磨向藍辛遞交一份備忘錄，要求美國確認日本與中國具有特殊密切的關係。日本輿論界懷疑照會係出自芮恩施的手筆，對芮氏大加撻伐，反美情緒愈來愈強烈。六月十一日，《朝日新聞》還杜撰了一個美國給北京政府的照會，混淆視聽。《每日新聞》則造謠說，美國公使給了黎元洪二十五萬元做為反對段祺瑞的經費，公使館還在安排中國向摩根公司借款二千五百萬元的談判。在中國出版的報紙和旅華日人也對芮恩施的活動進行誇張宣傳，甚至無中生有地散布謠言。㊽正因為日、英、法都盼望中國參戰，所以美國所倡行的聯合行動，除了贏得黎元洪等反戰派的感激外，並不發生任何具體效果。

中國政府經過一番擾攘不安的政爭後，終於民國六年（一九一七）八月十四日正式宣布對德宣戰。接下來與美國的主要關係，便是財政援助的交涉。由於美國政府曾於四月向中國暗示將提供援助，中國乃於宣戰不久，向美國要求二億美元左右的借款，以充軍備、軍隊運輸及行政與幣制改革之用，同時又以同樣理由向國際銀行團借款。芮恩施對此巨額借款頗感困擾，但他

㊹ 陶文釗，前引書，頁三九—四〇。
㊺ 王綱領，前引書，頁一〇六。
㊻ 陶文釗，前引書，頁四一。
㊼ 王綱領，前引書，頁一〇七。
㊽ 王綱領，前引書，頁一〇七—八；陶文釗，前引書，頁四一—二。

仍於九月七日向國務院提出警告：若完全拒絕則對協約國的利權有所傷害。此外，他又表示，美國有道德義務協助中國富強。其後，芮恩施又提出一個比較迂迴的計畫：提供一億美元，以二千五百萬元做為發展中國農業之用，二千萬元用來建築碼頭及兵工廠。另外以五百萬元做為中國派兵赴歐作戰的開拔費用，「如此不僅加強中美兩國的目標認同，亦可使中國內部有良好的變化」。芮使甚至建議，讓段氏專心練兵赴歐作戰，使其成為中國所需要、可信任的領袖，美國並應立即予以支持，以協助中國參戰。但在援華計畫上，芮恩施則徘徊在單獨援華或聯合英法以對抗日本的兩難之間。若美國單獨援華，則力量和效果有限；若要聯合英、法，則意見分歧，步驟不一，而英、法皆為美國之鉅額債務人，若邀之合作，徒增美國之負擔。對於協助中國參戰問題，芮恩施認為，如果美國單獨援華的目的在示意中國參戰，等於干涉中國內政，其結果與原旨相違；如果不是示意中國參戰，適足以增加日本與北洋政府的合作，以武力鎮壓南方軍政府與國會，又非美國所願。最後在藍辛主導下，國務院決定採取國際合作路線，由美國先進行兩項貸款，合為一億五千萬美元，期望運輸十萬中國軍隊赴法國參戰。但此一計畫雖有國防部與商業部的支持，但終因財政部長的極力反對，而胎死腹中。至民國七年二月，美國助華參戰計畫，乃告中止。㊾

據王綱領的研究認為，美國對中國的參戰態度，可以說是美國對二十一條件反應的延伸，再次使用防止誤解說明的含糊語句，顯現美國對華政策不敢面對現實。威爾遜政府對於開發中國家所投入的關注，以中國為最多，但也最失敗。美國雖有意代替英國，接掌中國世界的警察地位，但由於認識不足，決心不夠，以致對於中國參戰問題，令人有雷聲大雨點小的感覺，但見前線外交官（如芮恩施）一味向前猛衝，而坐守本營的國務院（特別是心態保守、能力不足的藍辛）則一直往後拉，其結果不僅口惠而實不至，甚而替中國也為自己惹了一身麻煩。一言以蔽之，在中國參戰時期，美國對華尋求的門戶開放，已經開始自我封閉。美國駐華公使對於中國事務的影響，仍不如其駐日大使的地位。[50]

第四節　美國與南北分裂政局

(一)美國與南方軍政府

民國六年（一九一七）七月，孫中山以北京政府在一批武人的脅迫下，先後發生解散國會及張勳導演溥儀復辟等違法亂紀的醜劇，乃率領海軍南下廣州，倡導護法。南下國會議員於八月三十一日以非常會議決議設立中華民國軍政府。九月一日選舉孫中山為海陸軍大元帥，賦以「總輯帥干，殲除群醜，使民國危而復安，約法廢而復續」的大責重任。孫中山於九月十日就職，

[49] 王綱領，前引書，頁一〇九—一一一。
[50] 同前註，頁一一六—七。

亦以「搊裳濡足，為士卒先，與天下共擊破壞共和者」的大義，宣告中外。51自此南北分裂對峙之局形成。

革命黨人南下護法的行動和目的，上海及廣州的美國領事報告皆詳述其事，並將革命黨人在南方的活動及對北方政局的衝擊，一一向美國駐京公使及國務院報告。就美國國務院的資料來看，六月初府院之爭因參戰問題僵持不下之際，美國政府對孫中山及革命黨人的態度尚稱友善，甚至認為北方政局的混亂，將使南方的革命黨人伺機而起。但復辟事件為段祺瑞所平，北方政局明朗化後，美國對南方的評價愈來愈惡劣。這一方面的觀察來自廣州總領事海因茲曼（P.S. Heintzlemann）認為廣州政局陷於派系內訌及對孫中山領導的不信任；另一方面的觀察來自駐華公使芮恩施對中國局勢的估量，認為中國政局的穩定甚於一切，尤其是護法運動形如再一次的革命，而中國人民最需要的是和平。軍政府建立後，美國政府不僅不予外交承認，且曾於革命黨人於南洋籌款時故意阻撓，使得護法初期原寄厚望於威爾遜總統的孫中山，倍感挫折。52

軍政府成立後，論對外關係，自以美、日兩國為主要對象。孫中山在《中國存亡問題》一書中，曾明言「中國欲求友邦，不可求之於美日以外」。故護法之初，孫中山曾以最大希望寄託於美、日兩國，數度遣使，電函頻傳，對美國當局之期望尤其殷切。然而從威爾遜、哈定（Warren. G. Harding, 1865-1923）到柯立芝（John Calvin Coolidge, 1872-1938，在位 1923-1929）這三位前後主政的美國總統，所給予中國革命領袖的，卻是不睬不理，甚至鄙視，最後竟為了關於交涉派軍艦到廣州省河向孫中山領導的革命政府示威！53此是後話。

孫中山首次要求威爾遜總統，做點有益於中國民眾的事，尚是在南下護法的前一個月——民國六年六月。這時國內朝野正為著參戰問題發生爭論。反對參戰的孫中山於六月八日拍一通電報給威爾遜，希望他運用在協約國之間的影響力，以阻止中國捲入戰爭。孫中山告訴威爾遜說：「他假如能夠採取這一友誼行動，我們就可很容易的摧毀中國的軍閥勢力與惡劣政府」。威爾遜看到了這一通電報，卻沒有正面答覆孫中山，因為他認為這樣的行動不合於他的政策，他要國務卿藍辛來應付這事。藍辛的主張是維持中國形式上的統一為第一要義，根本不管毀法與護法的問題。況且，他甫於六月四日把這一立場通知駐華公使芮恩施，並同時知會美國駐英、法、日等國大使，採取同一的行動。就因為這個緣故，藍辛對孫中山六月八日那通電報的反應是：威爾遜總統不能允諾這樣的請求。儘管如此，孫中山仍寄望美國當局能逐漸瞭解護法政府的立場，而予以支持。孫中山在廣州建立軍政府之後，於八月十四日，偕同內定廣東省長的胡漢民去訪問美國駐廣州總領事海茵茲曼，希望從美國方面獲得財力和軍火的支援、外交的承認，以及其他方面的協助。孫中山斷言，紐約的朋友正在資助革命運動，但是，由於在香港的英國檢查制度，使得他不可能和這些朋友接觸。所以，他建議美國人在中國建立軍火工廠，並在改善內政的各個方面進行幫助。孫中山進一步向海因茲曼保證，新政府將給美國人以優惠權利，那就是使美國人能夠得到工業天然開發利用的特讓權利。幾個星期之後，胡漢民又曾與這位領事

---

[51] 李雲漢，〈中山先生護法時期的對美交涉（一九一七—一九二三）〉，收入《中華民國史料研究中心十週年紀念論文集》（中華民國史料研究中心，民國六十八年十一月），頁三三七。

[52] 吳翎君，前引書，頁三九。

[53] 李雲漢，前引文，頁三三八。

見面一次。告知日本人正在把一筆借款強加給新政府，但儘管如此，出於對日本人動機的懷疑，這筆借款正在被拒絕之中。[54]

美國政府之所以對於孫中山的護法事業不支持的主要原因，繫於總領事和芮恩施公使對孫的觀感。海因茲曼對孫中山在廣州的行情不表樂觀，在他看來桂系軍閥各有所圖，而孫也只不過是借助南方軍閥的力量以反段。他認為「廣州人視孫為幻想家和不切實際者」，「愈來愈多的南方保守領導者以為當前的局勢，不足以抗拒北方的軍事力量，最好讓北方來解決目前的危機，但南方領導人則一味拖延，直到獲取更多的力量，最後將不可避免和北方一戰」。芮恩施則報告國務院，指出「孫中山所領導的軍政府，實際上徒具名義」，認為「孫在廣州的影響力正在消退，可能會讓位給立場較不偏激者」。民國七年四月，當軍政府內部有西南實力派傾軋，而外交上又陷於孤立無援之際，孫中山再次向美國駐廣總領事要求外交承認與援助。他大聲疾呼，中國情勢危急，北京段政府和日本勾結，除非美國能支持軍政府，使得南方發揮影響力揭破日本的陰謀，進而挽救中國。但海因茲曼仍不為所動，甚至以為「廣州政府的存在將使美國在遠東事務中的角色顯得尷尬」。[55]

同年五月，孫中山因不滿軍政府的改組，離開廣州，回到上海。十一月十一日，歐戰結束，和平的氣氛隨之瀰漫於全世界。美國駐華公使芮恩施奉令與南北雙方接觸，力言南北應儘速謀求統一。孫中山惟恐北方軍閥與南方桂系政客，在美國方面的壓力下從事犧牲國會的交易，因而於十一月十八日給威爾遜總統拍一長電，略謂：「南方期保障國家之法治，為護法而戰，所要求者只一般公平簡易之條件，即國會須得完全之自由行使其正當之職權也。若此簡易之條件尚不能辦到，則吾人惟有繼續奮鬥，雖北方援引任何強大壓力，皆所不顧。」呼籲威爾遜總統，「主持正義，慰予請求，務所以拯救歐人者轉以拯救中國」。[56]次日，孫中山復致電芮恩施，希望他能將中國的實際情況向美總統及美國人民轉達，認為中國究竟是民主政治勝利抑或黷武主義獲勝，主要取決於美國公使對我們孤立無助的人民的道義上的支持。[57]

在孫中山致威爾遜的電文發出後，對美國政府的態度甚表樂觀。他在回覆廣州議員書中，提及「自此電發後，隨由路透社電遍傳歐美，引起各國之注意，故美上議院近乃有認南方為交戰團體之提議；而美政府對文電，亦表示贊同，此後將請美總統出而主持公道，吾人終可達到護法之目的。」[58]事實上，早在數月前，廣州就盛傳美國政府有意承認南方為「獨立之交戰團體」，但這項傳聞因美駐華代辦馬慕瑞（John V.A. MacMurry）沒有得到國務院方面的訊息而無法證實；等到十二月二日五國駐穗領事一同向廣州軍政府提出召開南北和會的說帖時，特別聲明「提出勸告並非承認軍政府，或為一獨立之交戰團體」，這項傳聞也就不攻自破了。[59]但是，

---

[54] 韋慕廷著，楊慎之譯，《孫中山——壯志未酬的愛國者》（廣州中山大學出版社，一九八六年十月），頁一〇三。

[55] 吳翎君，前引書，頁四四—四八。

[56] 孫中山，〈致美國總統威爾遜告中國政情並請拯救中國之民主與和平電〉，《國父全集》，第五冊，頁九三。

[57] 孫中山，〈致美國駐華公使芮恩施函〉，同前書。

[58] 孫中山，〈復廣州國會堅持護法必得美國贊助書〉，同前書，頁九八。

[59] 吳翎君，前引書，頁五一。

孫中山對美國政府仍抱很大的期望，十二月十三日，他在致漳州許崇智、蔣中正函中又提到：

此電發後，聞美總統甚表贊同，謂必有以副文之望。文近在滬與諸同志商，以美總統自歐戰停發，方主張以正義公道維持此後世界之永久和平，而於扶助弱國尤引為己責。故文對於我國南北之事，主張請美總統出而為我仲裁人，囑國人一致鼓吹此說，則以美總統之主持公道，必能為我恢復國會；而於將來國會，更加一重有力之保障也。此說頗得各方所贊同，不久當可見諸事實。[60]

威爾遜雖對孫中山電文中所揭櫫的目標與原則，表示同情，但卻不願與孫中山直接通訊，只令國務卿藍辛提出處理的建議。藍辛乃致電美國駐上海領事說：「請閣下非正式的通知孫逸仙先生，彼最近致總統之電報已經收到，在適當時機，將予考慮。」[61]

與威爾遜相較，芮恩施則對孫中山的電報相當重視，但他所關注的焦點是中國內部的和平及日本的擴張政策，而不是孫的護法主張。所以，在致國務院的長電中，芮恩施對孫之主張恢復舊國會的理由隻字未提，而主要譴責日本自提出二十一條要求以來對中國的毒害；他認為中國的和平，「唯有拒絕承認日本過去四年來在中國秘密操縱的種種結果，特別是日本在山東建立的政治勢力和特權地位，才能使中國避免成為一個軍事獨裁國家的附庸」，「目前中國的局勢給我們共同消除中國國內衝突根源，從而避見凶險的災禍，提供了最後的機會。」[62]

民國八年五月，南北議和在上海舉行，終以北方政府不能接受恢復國會自由行使職權的要求，而告破裂。就美國與南北分裂政局，特別是與南方軍政府關係而言，實際擔負外交決策的威爾遜總統以及國務卿藍辛，希望中國維持政局的統一與建立負責任的中央政府，是一種善意勸告。中國政局的安定，黨派間的和諧將有助於中國的統一。基於此種考量，護法運動所意含的分離運動，不能獲得美國政府的同情，是可以理解的。再者，北京政府為列強所共同承認的法理政府，美國政府如果單獨對廣州軍政府給予援手，以美國正擴張遠東的影響力而言，這一著棋確實不符合現實利益。誠如前述廣州美領事所言，廣州軍政府的存在，確使美國政府在遠東事務的角色陷於尷尬地位。[63]

(二)美國與北洋軍閥

自袁世凱死後，北洋軍閥群龍無首，失去了凝聚力，派系鬥爭日益公開、劇烈，不幾年，就演變成了相當規模的戰爭。各系軍閥都力圖以帝國主義國家做為自己的靠山，列強也試圖通過支持一系，反對另一系以擴大各自在華勢力，打擊別國勢力。換言之，列強和軍閥各有需要，互為依存，這兩種爭奪結合在一起，使得中國國無寧日，政治形勢變得十分錯綜複雜。[64]

---

[60] 孫中山，〈致漳州許崇智蔣中正囑固守觀變勿遽懷退志書〉，同註[56]書，頁一〇三。
[61] 李雲漢，前引文，頁三四〇。
[62] 芮恩施，《一個美國外交官使華記》，轉引自吳翎君前書，頁五〇。
[63] 吳翎君，前引書，頁五二—三。
[64] 陶文釗，前引書，頁八三。

民國初年的軍閥以段祺瑞和各省督軍為中心，大別之有皖系、直系，始於民國六年督軍團的獨立。㊺段祺瑞曾三次組閣，但昧於內閣制的真諦，一味爭權力、鬧意氣，「只知做官，不知為政」，以致造成黎（元洪）、段時代的「府院衝突」，馮（國璋）、段時代的「派系暗鬥」，武力統一更是段氏解決南北分裂問題的一貫主張。㊻美國駐華公使芮恩施對於段祺瑞的個人操守評價極高，他在回憶錄中曾經提到，「段將軍個人的智慧和正直令人尊敬，他在選擇助手方面卻缺少幸運，如選擇傅良佐，招致湖南人的反對」。他相信，段對維護中央政府權威所做的努力，但在方法上有爭議：「他想的只是軍事的權威，並沒有認識到輿論和民政的組織需要什麼？」㊼

以段祺瑞為主的皖系政權的倒行逆施，本來就不得人心，五四運動的衝擊更使它聲名狼籍。直系和奉系趁機聯合起來討伐皖系，民國九年七月中旬爆發直皖戰爭。大戰以後重新在中國尋求擴張勢力的美國，把直皖戰爭看做是改變中國政局的契機。國務卿柯爾比（Bainbridge Colby）惟恐日本公開出面支持段祺瑞，於七月十六日指示駐華公使柯蘭（Richard C. Crane）說，一九一七年各國對段祺瑞反對張勳復辟沒有加以干涉，現在各國同樣不應該否定反段勢力的類似行動自由，否則就是對中國政局進行袒護一方的干涉。他要柯蘭謹慎提防可能對段祺瑞有利的外交行動。㊽

皖系戰敗後，北京一度出現了直、奉聯合執政的局面。但直、奉同床異夢，表面聯合，暗地秣馬厲兵，積極擴軍備戰，準備決一勝負。奉系的張作霖積極投靠日本，竭力向日本表示，他是又一個段祺瑞，值得日本的支持。直系的吳佩孚在討伐皖系時口口聲聲「不結交洋人，不舉借外債」，譴責皖系「禍國殃民，賣國媚外」，儼然把自己打扮成民族利益的捍衛者。待自己掌權之後，便極力拉攏英、美，企圖依靠它們的支持來鞏固自己的地位，並進而建立全國性的統治。

吳佩孚利用各種機會向美國外交、軍事人員買好，力圖透過他們影響美國政府的政策。民國九年七月，吳佩孚幾次寫信給他的政務處長白堅武的朋友、美國駐華使館海軍武官何錦思(C.T. Hutchins)中校，詢問美國海軍的編制、艦隻配備等有關情況。隨後，他又邀請何錦思到洛陽訪問。談話間，他告訴何錦思，財政支絀是他的嚴重障礙，他顯然希望何錦思把這一情況轉告美國政府。這次會見給何錦思留下了好感，因為他感覺吳的行為是受反日情緒支配的。另一方面，美國陸軍助理武官費祿納（W.C. Philoon）少校在保定訪問了吳佩孚和曹錕。吳對他大獻殷勤，厚禮相待。這次訪問給費祿納留下深刻印象。他在八月三日給國務院的報告中說：「直系首腦中最傑出的是吳佩孚。……他的行動是一個真正愛國者的行動，他是為國家利益而不是為個人利益而工作的。……他顯然極為民主，他的士兵對他既非常尊敬，又十分愛戴。」在費祿納眼中，

---

65 胡夢華，〈中國軍閥之史的敘述〉，收入張玉法主編，《中國現代史論集》（聯經出版公司，民國六十九年七月），第五輯，《軍閥政治》，頁七七—八。

66 徐炳憲，〈段祺瑞的三次組閣〉，同前書，頁二一二。

67 轉引自吳翎君，前引書，頁五三。

68 陶文釗，前引書，頁八四。

吳佩孚簡直成了完美無缺的英雄和領袖。[69]

除了拉攏官方人士外，直系軍閥還竭力結交美國在華民間人士，其中一個重要人物便是芮恩施。芮恩施在辭去駐華公使職務後，被北京政府聘為顧問。由於他與美國使館的密切關係和在美國公眾中的廣泛影響，直系把他奉為上賓。他得到過曹錕的隆重宴請，也受到過吳佩孚及其部下的盛情款待。芮恩施回報的是經常發表講演和文章，支持直系政府。他在民國九年八月的一篇文章中，稱頌吳是「民主的平民政府的擁護者」，把直系政府比做長江大河，勢不可擋，並勸告一切「明智的政治家」同這股「巨大的力量」聯合起來。[70]

吳佩孚同樣非常重視新聞媒體的作用，他與美、英新聞界人士建立了廣泛的聯繫。他常常舉行記者招待會，邀請記者訪問他的部隊和戰場，對他們送往迎來，殷勤款待，大有禮賢下士的作風。為了表示他對美國的好感與欽羨，他在接見美國報人時在衙門牆上掛上華盛頓的像，並大言不慚地自我表白說，他的願望是為國家做出像華盛頓統一十三塊殖民地時那樣的貢獻。他甚至聘請一些美、英記者為顧問，其中有《字林西報》（*North China Daily News*）駐北京記者、天津的美國報紙《華北明星報》的美方代表甘露德（Rodeney Gilbert）和《北京導報》的實際負責人、中美通訊社的助理經理侯雅信（Joseph W. Hall）。侯雅信在直皖戰爭中即充任吳的新聞代理人。他接辦了《北京導報》和中文報紙《益世報》，把後者登記為美國產業，置於美國保護之下，然後利用這些報紙為吳佩孚掌權製造輿論。直皖戰爭前後，在北京、上海等地的美、英報刊上，充斥著抨擊安福系及其後臺日本而刻意美化吳佩孚的文章。如在七月廿四日這一天的《密勒士評論報》（*Millard's Review of the Far East*）上，侯雅信稱安福系是一群「小煽惑家、自私自利的政客和短命暴徒」，說在他們背後的是「用貪婪、虛榮或恐怖的線牽動著傀儡的日本陰謀家；甘露德則為吳大唱讚歌，謂「每個人都信任吳佩孚，他的誠實和勇氣是毋庸置疑的」，兩人一唱一和，一貶一褒，充當吳佩孚御用文人的嘴臉也就十分清楚了。侯雅信也大言不慚地寫道，「他與吳佩孚反對皖系的軍事行動步調一致地對當政的皖系展開宣傳攻勢」，「縱橫馳騁在勝利的巔峰」。[71]

直皖戰爭後勝利的直、奉兩派分贓不均，又都想獨霸天下，矛盾越來越尖銳。美國報人控制下的報刊便像當年反對段祺瑞那樣攻訐張作霖，稱他是「狡猾的軍閥」，中國北方的「反動派」，地地道道的獨裁者，在一切國家事務上獨斷獨行，玩弄權柄，使政府不過成為一臺傀儡戲。[72]隨之而來的直奉戰爭，吳佩孚早就與美國暗通聲氣，也成功地取得美國政治上的支持，但在謀求美國財政援助方面卻並不順利。此是後話。

[69] 同前註，頁八五。
[70] 同前註，頁八六。
[71] 同前註，頁八六—七。
[72] 同前註，頁八七。

第五章　中山先生晚年與美國關係

第一節　與哈定政府的一段過節

民國九年十一月，中美雙方都有了政治上的變化。在南方，由於陳炯明部粵軍由閩回粵打垮桂系操縱之軍政府的成功，孫中山得以重回廣州繼續其護法事業，並主張改組軍政府為正式政府，以加強對外交涉上的地位。這一計畫於五個月後實現了，正式政府於民國十年五月五日成立，孫中山為國會非常會議選任為非常大總統。在美國方面，總統選舉的結果，共和黨的哈定當選，並於民國十年三月四日就職，是為美國第二十九任總統，威爾遜的時代宣告結束。哈定總統任命許士（Charles Evans Hughes）為國務卿，美國人民所習稱的哈定—許士時代遂告開始。❶

❶ 李雲漢，前引文，頁三四五。

依照一九六二年美國歷史學家調查所做的評價，哈定在所有美國總統中排名最後，為兩名「失政」(failures)總統中最差的一位，在格蘭特(Ulysses S. Grant, 1882-1877，為美國第十八任總統，在位 1869-1877)之下。❷

孫中山對於哈定總統的新政府抱有極大的期望，一開始即表現出真誠的善意。孫中山當時對外國的政策，概括起來有以下兩點：

㈠在南北兩個政權並存的情況下，他力求列強保持中立，不要給北京的軍閥政府以各種支持；

㈡他看到當時對中國最大的禍害是，把二十一條和軍事密約強加給中國、妄圖獨霸中國的日本，指望利用美、英與日本之間的矛盾，取消這些條約，挫敗日本的陰謀。

孫中山在不同場合，一再肯定海約翰的門戶開放照會「能夠防止瓜分中國」，表示「中國南部人民，會力爭美人所主張之開放門戶主義」。正是出於這種利用列強矛盾的目的，他希望美國在華盛頓會議上對日本持強硬態度，謂「美國欲避戰禍，抵拒日本，則美國將來必至與日本開戰」。總之，孫中山力圖改善中國革命的國際環境，希望美國對中國革命給予某種同情。❸

可是，美國人回報給孫中山的，卻是一連串的冷漠、嘲諷與打擊。首先，第一件不友好的行動，是美國新任駐華公使柯蘭於民國十年二月二十八日寫給孫中山一封粗魯無禮的信。他說孫 逸仙的屬員們都認為孫是個不切實際的理想家，孫的計畫是「不切實際而且誇張」。更惡劣的是，他說不少人認為孫先生是個「不慎重的冒險家，與日本及安福系私通，為個人目的而犧牲國家利益。」❹柯蘭為袁世凱時代熱中「助袁安定與發展以改造中國」的進步主義人物之一，他到中國就任時的先入之見是「孫逸仙為親日派」。柯蘭對孫中山的態度，除個人偏見外，亦與英國有關。原來孫先生回粵後，取消桂系把持時代與英國簽訂的卡賽爾斯礦產合同（Cassells Mining Contract），這個合同如果實行，對英國在中國南方之經濟、政治地位將大為提高。孫中山將此合同取消後，英國公使阿爾斯頓（Sir Beilby Alston）乃於公使團建議並獲通過，將廣東之關餘移給北京，理由是「孫及其同人不遵守桂系與北京總統全國統一之聲明，將此關餘交給廣州軍政府只會妨礙統一。」柯蘭同意阿爾斯頓的意見。❺

第二件不友好的行動是，哈定總統於三月四日就職時，孫中山的駐美代表馬素（Ma Soo）曾致電祝賀，並轉達中山先生「此後共和美國與共和中國彼此間應建立更密切的關係」的希望。可是這通賀電受到了歧視，國務院主管遠東事務的馬慕瑞吩咐說，這通賀電不必答謝。當馬素要求去訪晤哈定總統的秘書克里斯亭（George B. Christian）時，也遭到馬慕瑞的阻止。馬慕瑞指示克里斯亭說：不要接見這位馬素先生，因為他自稱是孫逸仙的代表，而孫自稱為中國總統反對北京政府，但北京政府卻是唯一獲有國際承認的中國政府。❻

第三件不友好的行動是，五月五日孫中山宣誓就任非常大總統。當天他發表對外宣言，要

---

❷ 朱建民，《美國總統繽紛錄》，頁四一九。
❸ 陶文釗，前引書，頁九六。
❹ 李雲漢，前引文，頁三四五—六。
❺ 王綱領，前引書，頁二一五。
❻ 李雲漢，前引文，頁三四六。

求各友邦，承認廣州政府「為中華民國唯一之政府」。孫中山還特地給哈定總統寫了一封信，讓駐華盛頓的代表馬素連同宣言於六月十六日親自帶到美國國務院去面交。信中有這樣一段懇切的話：

因為我們認為美國是民主之母，是自由與正義的護衛者，歷史上已經不止一次的顯示出美國毫無偏私的友誼，在我們有困難時給我們支持，……中國民主的成敗實多半繫於美國的決定。❼

可惜國務院沒有將信轉達給哈定總統，也沒有做任何有利的及善意的反應。孫中山同時也請美國駐廣州副領事蒲萊士（Ernest Price）轉交同樣內容的信給哈定總統。一向密切注視南方事態發展的蒲萊士，對於廣州政府頗有好感，他於民國十年春向國務院報告說，廣州革命政府領導人「工作努力、忠誠」，「思想開明」，「他們在行政管理工作方面所做的比北京任何集團在過去六年間所做的，更值得引起外國人的尊敬」，「這個政府獲得成功的前景比以往任何時候都更光明」，他建議政府對其採取同情態度，並稱這是「每一個在華南的美國人的感情」。孫中山宣誓就任非常大總統後，蒲萊士又於五月七日報告說：「我相信，在這個群體身上——不僅是一個孫中山，而且是華南一大批支持民主原則和事業的人們身上——寄託著中國唯一的希望」。他把孫中山致哈定總統的信連同他五月七日的報告一齊寄送國務院。❽

孫中山在等待著美國總統哈定的回音，然而這次國務院又讓中山先生失望了。蒲萊士由於

「將總領事館變成為與某一叛亂組織交往的官式通訊工具，而此一叛亂組織所反對的正是與美國政府具友好關係的（北京）政府」受到國務院斥責；同時，國務院將孫中山的信，退還給廣州總領事伯格霍爾茲（Lao Bergholz）處理。但這封信已被拆封，總領事覺得退還此信很是為難，他認為這封信已歷時三個月，並已外洩，建議國務院編造「忘卻處理」的理由，不要退還，以免使「一位誠實而愛國的行政領導者，受到退信的羞辱」。惟伯格霍爾茲的建議，國務院並未同意。❾

從以上幾件美國政府與外交人員處理問題的可笑與幼稚反應出，美國對中國形勢沒有正確估計，儘管美國駐華外交官也覺察到了中國人民的民族主義情緒正迅速增長，但他們並沒有意識到中國正處在一場大革命的前夜。而孫中山正像當年領導辛亥革命一樣，在組織和準備這場革命。遺憾的是，美國政府仍然把他看做是「狂妄自大的麻煩製造者」，是妨礙中國統一和安定的主要因素。如同辛亥革命時期一樣，美國政府依然對孫中山及其領導的政府採取一種既蔑視又敵視的態度。❿

不平則鳴，同年五月十九日，華南美國人聯誼社之幹事會一致通過，承認孫中山為總統，

---

❼ 同前註，頁三四七；韋慕廷著，楊慎之譯，《孫中山——壯志未酬的愛國者》，頁一一一。

❽ U.S. Department of State, Foreign Relations of the United States（以下引作 FRUS），1921, Vol. I, pp.323-325, pp.328-335；陶文釗，前引書，頁九九。

❾ The Consul General at Canton to the Secretary of State, FRUS, 1921, Vol. I, pp.341-342；吳翎君，前引書，頁一一〇—一；李雲漢，前引文，頁三四七。

❿ 陶文釗，前引書，頁九六—七。

並向國務院呼籲改善北京（美國）公使對孫逸仙的敵對態度。哲學家及教育家杜威（John Dewey, 1859-1952）亦在《遠東每週評論報》（原密勒遠東評論報）上撰文，指責北京報界對廣州的報導不詳，偏袒另一方，美國應保持善意中立，制止北方統一政策，讓孫逸仙有表演之機會……。」但國務院仍維持「只與北京往來」的原則。⓫

民國十年八月，美國邀請北京參加華盛頓會議，「是否邀請廣州軍政府參加」的問題，隨即引起美國駐華外交人員的討論，其中廈門領事、廣州總領事、代理公使羅多克（A.B. Ruddock）、亞洲艦隊司令、公使館商務官等均向國務院報告，或稱讚廣州政府，或對北方頗有微詞，他們雖未明白表示要改變美國對華政策，但已使國務院逐日重視孫逸仙。國務院希望南方能推派代表，與北方共組成一個代表團，做為願意「中國統一」的表示。⓬孫中山認為這是一個最好的發言機會，決定全力爭取。他曾於九月十六日寫了一份非常鄭重的文件，由外交秘書陳友仁攜往華盛頓，要求親自送交哈定總統。九月二十日，陳友仁在請求晉見哈定未能如願下，寫信給許士國務卿，請求將一封密函親自轉交給哈定。在這份長達十頁的密函中，孫中山指出，承認廣州政府是維護遠東和平的關鍵。他警告美國政府，日本計畫佔領滿洲，這是一條併吞中國的歷史老路，此一行動將於一九二五年完成，這樣日本將控制中國，並導致日本在對美國戰爭中免於受到損害。孫中山再一次指出北京政府的非法性，不配做為一個國家的政府；它採取親日政策，施政表現全然無能。⓭

然而，孫中山這一苦口婆心，嚴正而又謹慎的文件，僅僅於十一月三日送到了國務院，並沒有到達哈定手中，就被歸檔了。孫中山的駐美代表馬素也曾到國務院去力爭華盛頓會議的出席權，國務院的官員們卻不承認中山先生所領導的政府有正確的法理基礎。華盛頓會議於十一月十一日開幕，除了北京政府在代表名單中列入伍朝樞的名字做為安撫手段外，廣州政府在外交上的出路始終未能打開。哈定政府不僅不給予孫中山的政府以外交承認，且不止一次的阻撓美國人私人或團體，與廣州政府間的合作行為。儘管美國哈定政府屢次對孫中山的政府杯葛，孫先生並沒有放棄尋求外交承認的希望，對美國政府和人民也未曾有任何怨言。民國十一年四月在梧州行營對美京郵報訪員談話時說：「美國自來對於中國毫無攫取土地之野心，亦未利用中國衰弱以營私利，故今日否認北庭，當然事也。」一個月後，他在韶關接見美國《星期六晚報》(*Saturday Evening Post*) 記者馬科森 (Issac F. Marcosson) 時，雖批評華盛頓會議，但仍以取得美國的承認為最優先的考慮。⑭

第二節　關餘交涉與美國態度

孫中山重返廣州，新成立的廣州政府對列強表現出比以往更為堅定的態度，它與列強間發

⑪ 王綱領，前引書，頁二一六。

⑫ 同前註，頁二一六—七。

⑬ 吳翎君，前引書，頁一一二。

⑭ 李雲漢，前引文，頁三四九—五〇。

生的第一次重大衝突，是圍繞著「關餘」而展開的。「關餘」問題是一個由列強在華享有的不平等特權而產生出的問題。所謂關餘，是指海關稅收在扣除了以關稅作抵押的賠款和外債後的剩餘款。做為國家稅收的一部分，它是國家重要財源之一，理應由中國政府掌握。但是，由於海關的管理權長期為外籍稅務司所控制，解送關餘的權力便落入列強的手中，時常成為列強用以影響中國內政的一個重要手段。民國六年，孫中山在廣州發起護法運動後，經北京公使團的同意，廣州軍政府曾獲得十三·七%份額的關餘。這一款項指定由軍政府外交兼財政總長伍廷芳出面領取。但到民國九年三月，軍政府內部分裂，伍廷芳離開廣東且帶走印信，公使團便將關餘停止撥付。是年十月，孫中山率粵軍驅逐了盤踞廣州的桂系軍閥，恢復了中華民國軍政府後，曾要求列強撥交關餘。但公使團未接受這一要求。[15]

關餘交涉是廣東革命政府在民國十三年中國國民黨改組前最大的一次外交交涉。這一交涉，影響中國國民黨的改組，也改變了孫中山晚年的外交政策，關餘交涉起於民國七年中山先生第一次南下，首次成立護法軍政府時期，一直延續到民國十三年改組之後，前後七年引起數度嚴重交涉。[16]

廣州正式政府成立前後，共有兩波行動較為激烈的關餘交涉。一為民國九年底，廣州護法政府為解決財政困難，命南方軍政府代表郭泰祺在北京向公使團提出了請撥關餘的要求，十年一月軍政府正式致函公使團，要求依照前例（百分之十三·七）撥交關餘，並補還自民國九年三月以來的積欠二千五百餘萬海關兩。但一月十八日在京的公使團開會，決定嚴詞拒絕，「無論如何不能放任中國政府正供之關餘，供應無意識政爭之用。」並且進一步恫嚇說：「關稅為債務擔保，決無截留之理，且亦不容其截留。」南方政府獲悉公使團的決定後，也決心採取強硬的相對措施，一方面令郭泰祺在京就近致送說帖繼續交涉，一方面於一月二十一日由軍政府外交總長伍廷芳發布命令：「凡在軍政府所屬各省海關，須於二月一日起服從軍政府之訓令，聽其管轄。但各省關稅仍照前儘先攤還外債，絕不欲稍有妨礙債權人之利益。」⑰

伍廷芳於發布命令的同時，並指責列強如此作法是「荒謬（absurdity）」、「異常（anomaly）」，各國公使團對此反應強烈，一月二十四日公使團會議一致通過，命駐穗領事通知伍廷芳：「對目前海關做為外債償還的安排及行政管理之事，無權干涉，也不能容忍。」會中同時也針對民國九年廣州海關所累積的二千五百萬兩關餘的處置進行討論，公使團中有主張歸還南方之提議，但指定必須用於非政治用途。英國公使艾爾斯頓堅決反對廣州接管海關，他向美國公使柯蘭表示，「果真廣州政府接管海關，英國政府將禁止香港與廣州間的貿易，並將派軍隊保護海關所在地，要求美國採取一致行動。」柯蘭遂於一月廿六日致電國務院說：「默認軍政府接管海關，等於是撤銷對北京政府做為全中國政府的承認」，並且可能使其他地方起而效尤，等於是重新製造利益範圍的危險性，加速中國的分裂。國務卿柯比同意柯蘭的建議，並聲言如有需要將採用武力。⑱

---

⑮ 王建朗，《中國廢除不平等條約的歷程》（江西人民出版社，二〇〇〇年四月），頁一三七—八。

⑯ 呂芳上，〈廣東革命政府的關餘交涉〉，《中華民國歷史與文化討論集》，第一冊，頁二五五。

⑰ 同前註，頁二五九。

⑱ The Secretary of State to Crane, FRUS, 1921, Vol. I, p.498.

在廣州政府據理力爭的同時，北京政府也毫不退讓。由於南北對關餘問題，相持不下。北京公使團於二月初，打算提出通融之道，即尋求北京政府的諒解，希望所有關餘都能用之於國家建設，且嘉惠東南地區。柯蘭公使對此提議甚為動心，認為廣州釋出的關餘如不限制用途，乃不智之舉。各國駐穗領事的態度傾向將關餘用於西江。美國總領事主張在粵漢鐵路終點，建造一個深水港。柯蘭乃於二月三日提議，在上海使領的合作及公使團的批准下，立即將民國九年上海的二百五十萬兩交給伍廷芳。但這一舉動立刻遭到國務院的制止。國務院於二月四日要柯蘭暫緩提出這項建議，並於二月八日做了明確指示，非經北京政府同意，各國無權將關餘交付廣州政府。同時訓令柯蘭儘速和公使團解釋美國政府的立場，另要駐穗領事轉告伍廷芳，美國政府只承認北京政府，不能考慮南方與北方之間的問題。三月一日，柯蘭公使又向國務院請示：公使團一致無異議通過，希望在取得北京政府的同意下，釋出四十二萬兩交給廣州政府，做為整治河運之用，國務院是否支持？國務院表示，按照一月五日訓令舊章辦理。由於國務院的堅持，公使團於三月初再經協商，最初法國主張由各國與北京政府外交部磋商，但在美國公使的斡旋下，列強終於無異議將原歸廣州政府的十三·七%關餘，全數交給北京政府使用，公使團不再干涉。北京政府因此甚為感激美國政府。⑲

北京公使團的決定，等於直接回絕了南方政府的要求。公使團這一藐視南方革命政府的態度，激起了孫中山的憤慨，也激怒了廣東的民眾。十年二月二十五日，孫中山在海陸軍警同袍社春宴大會上，沉痛地指出：

> 軍政府因爭關餘不得，擬將海關收回，外人反對，竟欲調砲艦來粵示威，此舉直視軍政府如無物，辱我如此！……關餘應交軍府，而外人不交，且敢以兵臨我，是視軍府如土匪耳。予感此痛若，以為名不正則言不順，故有組織正式政府之提議。正式政府成立，則全國政權皆歸掌握，何獨此區區之關餘，致受外人阻撓？⑳

三月六日，廣州有一萬多名民眾，聚集在東園召開「國民請願收回關餘大會」，力爭收回關餘，並請組織正式政府以利交涉。會後並列隊遊行，分赴軍府、國會請願，民氣十分高昂。㉑四月四日，孫中山在廣州舉行宴會，告訴國會議員說：過去關餘交給護法政府，實等於國際上承認西南政府為交戰團體的表現，但：

> 今日駐京各國公使決將關餘交回北京偽政府，是明明取消已經承認我之西南交戰團體，亦不啻對西南宣告死刑，國際上既已取消前次承認，諸公想想，我們護法關係人不皆成了土匪。兄弟每念及此，中心如焚，應急謀救濟方法以為對待，其方法為何……即立即選舉總統，組織正式政府，使西南各省能取得同外國進行談判的合法地位。㉒

---

⑲ Crane to the Secretary of State, FRUS, 1921, Vol. I. pp.499-505.

⑳ 孫中山，〈組織正式政府之必要〉，《國父全集》，第三冊，頁二二四。

㉑ 呂芳上，前引文，頁二六〇。

㉒ 《孫中山年譜長編》，下冊，頁一三四三。

民國十一年六月陳炯明叛變，中山先生被迫離粵，革命事業中挫，關餘交涉暫告停頓。十二年二月，孫中山命滇桂聯軍合力擊潰盤據廣州的陳軍後，第三度入粵建立陸海軍大元帥大本營，執行大元帥職權，亦再度提出分享關餘的交涉。

孫中山透過美籍友人雷喬治（George Benson Rea）表達了他對關餘分撥的意見。雷喬治於民國十二年五月，在《遠東評論》發表文章，建議西南應得的關餘，由總稅務司暫時全部保管，以待符合民意的中央政府組成時，再行繳交。九月五日，孫中山令大本營外交部長伍朝樞，透過英國駐廣州領事真密孫（James, Jamieson），正式照會北京公使團要求分享關餘，展開第二波的關餘交涉。九月五日的照會所附說帖，共分五款：首述軍政府分領關餘的前例，並對民國十年美國國務院阻撓續撥關餘之事表示抗議；第二款駁斥國務院將關餘悉數移交北京政府的理由，否認北廷能被視為「中國的政府」，更進一步說明各省可同擔外債償還義務，但絕不能允許北方武人以西南關餘對付西南人民；第三款主張關餘交付總稅務司，依照比例分配南北政府，並且民國九年三月以後西南應得關餘，理應全數補還；第四款否認內債整理基金有挪用關餘的權力，指出事實上以鹽餘及煙酒稅，已足充此項基金；第五款希望公使團急速照辦。在照會中所附的另一說帖，指明關餘的用途均為市政教育及建設事業，也就是說南方政府以人民所納之稅還諸地方人民之用。九月二十八日，廣州政府接到英領通知，謂北京公使團領袖已有回覆，此一問題正在考慮中。十月二十三日伍朝樞再度照會公使團，否認北京政府有移用關餘權力，主張關餘分配問題，應由各方面全部核定。㉓

從九月到十二月幾乎三個月的時間，北京公使團均無進一步切實的答覆。北京公使團之遲遲未對廣州政府第一次照會作具體答覆，或許想用拖延的方式等待南方政局的變化，或許還要分別向其本國政府請示之故。至十月二十四日，美駐華公使舒爾曼（Jacob. G. Schurman）面告北京政府外交總長顧維鈞稱：「廣東向使團力爭屬於東南部分之關餘，本使業經請示政府訓令。今奉本國政事堂電開，美政府仍持往昔看法，以為使團對於關餘之關係，僅如信託人代表中國已經列國承認之政府，暫行經理而已。否則條約上之根據，將完全消失。」㉔

美國政府此一態度，實足以影響北京公使團之決定，彼等對廣州政府兩次照會，均遲不作復。十一月二十日，英國駐廣州領事真密孫報告北京英公使馬克利（Ronald Macleay）提出警告說：關餘問題不能再拖延了，孫逸仙博士已經表示為關餘不惜一戰，甚至於說如戰敗也甘心，不過英國得負起扼殺民主的責任。十二月一日，北京公使團以領袖公使荷蘭籍歐登科（Willam J. Oudendijk）具名，致電廣州英領，對孫中山有意接管海關「駭人聽聞的主張」，提出兩點警告：㈠任何方面如有干涉中國海關之事，公使團均不予以容納；㈡如有上述情事發生，公使團即當採取相當強迫手段。英國公使馬克利也私下致函伍朝樞，表示公使團無權干預關餘分配，同時暗示公使團也不允孫中山干預海關作業。正當私人間函電來往之際，美、英、法、意、日、葡等國準備於必要時以海軍力量來對抗。美使舒爾曼這時建議美國政府採取實質戰爭以外的任何

㉓ 呂芳上，前引文，頁二六二。

㉔ 王聿均，〈舒爾曼在華外交活動初探〉，《中央研究院近代史研究所集刊》，第一期（民國五十八年八月），頁二九三。

手段，以阻止廣州政府接收海關。美國駐華代辦貝爾（Edward Bell）積極主張，「使用非戰爭的一切手段，嚇阻廣州政府，以維持海關現狀」。美國駐華陸軍武官支持他的看法。貝爾並強調說，如果美國不參加海軍示威的聯合行動，那就不但顯得美國甘願比其他大國起次要作用，而且會使孫中山相信，美國政府對他要求關餘的主張是同情的。遠東司長馬慕瑞竭力贊同貝爾的看法。國務卿許士則建議派遣美國南海艦隊駛往廣州參加示威，此議並立即獲得柯立芝（Calvin Coolidge, 1872-1933，在任 1923-1929）總統的許可。其他國家也採取了類似的行動。十二月初，外艦開始集結廣州。英國駐華海軍上將尼文生（Admiral Sir A. Levenson）、法國海軍司令佛樂德（R.A. Frochot）均受命前往廣州了解情勢。至同月中旬，已有英、美、法、日、意、葡等國軍艦十六艘，其中美艦最多，達六艘，集結在廣州省河向大元帥府示威，衝突有一觸即發之勢。㉕

面對外艦的威脅，孫中山毫不畏縮。他於十二月五日致電公使團，嚴詰公使團來電抗議之不當，強調中國海關始終為中國國家機關，本政府轄境內各海關自應遵守本政府命令，並申明兩個星期之後如尚未解決，大元帥府將截留廣東海關之關餘，以為地方之用；「此乃完全中國內政問題，無與列強之事」。同日，孫中山接受《字林西報》記者之訪問，亦率直表明其截留關稅的決心，「謂廣州擔負護法戰爭之軍費，歷時已久；北京則用在粵所收之稅以攻粵省，外交團知而不問。查兩廣關稅，歲以千萬元計，此原為粵人之款，故彼擬截留之，彼將令稅務司繳出粵省關稅之全數。如不從命，則將另易總稅司，如北京乏款付到期之外債，彼願酌量撥出一部分，以供此用。」㉖

就在外艦示威的同時，十二月十一日北京公使團透過廣州領事團，正式就南方政府九月五日對關餘的要求，提出答覆，表示無權決定。「對於此項要求之承認或拒絕，不在外交團權限之內」。至於民國八年至九年西南政府分配關餘之協定，是西南政府與北京政府直接訂結，公使團於此事「既未提倡於前，又未參與於後」，故現今他們對此案的態度仍然如此。這一答覆等於完全拒絕廣州方面的要求。列強先則於十二月一日表示對南方政府干涉海關之事，絕不容許，十一日之電又說使團不能過問關餘，但同時又聚艦示威，其言辭、行動與立場自相矛盾之處，十分顯然。㉗

列強集結軍艦的示威行動，殃及北京政府，使得外長顧維鈞招致國人的指責，認為北京政府縱容外人干預中國內政。十二月八日，顧維鈞向貝爾質詢此事。貝爾給國務院的報告中，提到不少北京政府要員私下同情孫中山的處境，他要福開森（J.C. Fergusoon，曹錕總統顧問）向曹錕解釋，情勢的演變不得不爾，北京應該感謝列強的這項舉動，不要「得了便宜又賣乖」（look a gift horse in the mouth）。為避免北京政府處境尷尬，十二月十日北京公使團正式照會顧維鈞，謂派艦赴廣州，在於制止廣州政府奪取做為庫款主要來源的海關稅款。十二月四日，北京公使團決定致函中國各派軍事將領，警告不可截用關餘，並表示如果孫中山試圖截留關餘，列強將在海關

㉕ 李雲漢，前引文，頁三五九—三六〇；呂芳上，前引文，頁二六二—三；吳翎君，前引書，頁一三三；陶文釗，前引書，頁一〇二。

㉖ 孫中山，〈截留關稅之決心〉，《國父全集》，第二冊，頁五八六。

㉗ 呂芳上，前引文，頁二六四。

部署海上警戒。同時有十六艘各國軍艦駛進廣州白鵝潭示威，向大元帥府進行直接武力恐嚇。㉘

列強的砲艦政策，引起廣州政府強烈的抗議和廣東民眾的抗爭。十二月十七日廣東交涉特派員傅秉常，為外艦集中示威一事致函英領提出質問。二十日英領覆文說：外艦駐泊口岸無仇向政府、本城及廣州人民之意，「總因阻止干涉洋關公務而已」。因此請轉知市民「不可抵制英美，致釀事端」，粵省當局接到覆文後，立刻再駁斥英領「事端由派艦者釀成，還應由各該國負責」，可謂針鋒相對。同時大本營外交部長伍朝樞還應香港《德臣西報》（Hongkong Telegraph）記者訪問指出：南方政府做事乃秉持公理而行，外人亦須諒解，「幸勿以老大帝國國民之畏懼外艦及洋務者視我」，任何意外，列強均得負其咎，毫無讓步餘地。㉙同日，中山先生即令大元帥府財政部長葉恭綽、外交部長伍朝樞聯銜通知總稅務司安格聯（Sir Francis Anglen），轉令粵關稅務司易納士（A.H.F. Edward），應即遵照大元帥命令，如數補還民國九年三月以後積存廣東政府應得之關餘款項。惟安格聯並無遵行上項命令之意。大元帥大本營乃於十二月二十四日發表〈關於海關問題之宣言〉，聲明「總稅務司倘不遵命令，本政府當另委能忠於職務之人，為稅關官吏，以免稅務之廢弛中斷。」關餘危機，至是愈益擴大。㉚

在關餘事件交涉中，孫中山對美國倚信最深，而美國的態度卻最為強悍。孫中山乃於十二月十七日發表〈致美國國民書〉，沉痛的指出：

吾人首倡革命，推倒專制及腐敗政府而設立民主之時，吾人實以美國為模範，且深望得一美國剌花逸（拉法葉 Lafayette，助美國獨立戰爭之法國軍人）協助吾等，使得成功。吾人之力爭自由，於今已十二年矣。但今由美國而來者非剌花逸，乃美國之羅連臣提督（Captain Lannon），同來之戰艦較多於別國，而與欲推倒吾等，以便中國之民主得以滅亡者相連。吾人華盛頓及林肯之國是否誓拒其對於自由之信仰，而轉為力爭自由國民之壓制者乎？吾人實不信此，並深願貴國艦隊人員詳思此問題，然後放砲向吾等轟擊。現彼等之炮已向此無炮壘抵禦之廣州城矣！因何而欲砲擊吾等乎？實因吾人對全國稅關之收入，有合理要求，除清償以稅關作抵押各外債之後，得取得余政府治下內各處收得所餘之關稅。夫此項收入，實屬吾人，故余政府定有此權。且此款為敵人所得，遂用之以購軍械，轉殺吾等，故不得不阻止之，與君等先代投英國茶於波士頓埠港口之事無異。現貴國執政者或不肯扶助中國爭自由，等於扶助他方。設若貴國以海軍軍艦向我所轄境內爭收關餘，而令北方不良之軍閥得獲勝利，實為一種愆咎及無窮恥辱也。㉛

孫中山除了透過外交管道，希望迫使公使團理屈而退外，輿論的反應也站在南方政府一邊。換句話說，列強的蠻橫行徑也激起了廣東各界人民的無比義憤。十二月十六日廣州各界在豐寧路西瓜園舉行第一次公民大會，機器總會的黃煥廷擔任主席，通過致電北京公使團，籲勿對關

㉘ 吳翎君，前引書，頁一三三—四。
㉙ 同註㉗。
㉚ 李雲漢，前引文，頁三六二。
㉛ 孫中山，〈為爭關餘稅收致美國國民書〉，《國父全集》，第二冊，頁一二八—九。

餘作越軌干涉。又致電各埠華僑，說明列強壓迫中國真相，共勉為政府的後盾。會後一萬多人參加大規模的示威遊行，遊行的隊伍曾在粵海關署前停息，演說爭回關稅；到了東堤，又派代表赴大元帥府請願，希望孫中山「勿為強權所屈」，即日收回關餘。中山先生親自接見，表示將限期收回關餘，並建議散發英文傳單，以正誼公理勸告外艦上的水兵，冀其憬悟。翌日，廣州各公團又集會，決定組織「外交後援會」為政府後援。二十四日，廣州工會聯合會等七十餘團體又召集了第二次公民大會，這次大會在廣州市第一公園舉行，到有各界一萬多人，通過譴責列強砲艦政策的宣言。會後遊行，所到均分發傳單，號召同胞「要分關餘，就要民族自決，就要民族奮鬥！」「外交後援會」並在會中發出白話宣言：「要求收回關稅」、「恢復以前國家喪失的權利！」、「打倒軍閥！」、「打倒國際侵略主義！」並主張以經濟絕交為後盾。十二月二十日廣州市街出現了「抵制英美」的標語。二十五日「外交後援會」遵照孫中山的建議，派發致外國海軍水手傳單，傳單內容說「吾人只求和平與秩序，遵守公理收回關餘，以揭去世界併吞主義者之假面具」，要求水手們起而扶助被壓制下的中國人。另外，在廣東的聯義社、省港華人船主司機總工會有罷工、停止起卸外貨的宣言，廣東總工會、湖南旅粵學會、梧州勞工聯合研究會、上海外交大會、旅滬廣東自治會、全國學生聯合會、廣東省議會及廣東中山學校校長等，或通電，或集合宣言，要求「即日收回關餘」，要求收回關稅自主權，都誓作政府後盾。[32]

面對廣州政府的強硬態度，復凜於南中國民意之不可侮，列強意識到武力恫嚇政策已不再是一個行之有效的政策。英國擔心，如果真的對廣東地區實行封鎖，港、粵商務中斷，英國在香港的經濟利益也將大受影響。而列強內部態度也不一致。日本在華南利益較少，不願因此事與孫中山政府為敵。日本外務省早就指示其駐華公使芳澤謙吉，「廣東關稅事件，雖規定與各國取一致行動，但我國無論如何總要以尊重中國主權，貫徹不干涉內政之主權。倘行動上有涉及華會九國對華條約之根本反對事件亦當避之。而我國之對華關係上本與歐美各國不同，故不得不取如斯之態度。」㉝就孫中山而言，在這場關餘的鬥爭中，鑒於內有陳炯明的潛在威脅，他實在沒有以武力對抗列強的實力。因此，孫中山希望日本從中調停、斡旋。十二月十五日，孫中山通過佐藤安之助聯絡，親自訪問日本總領事館。次日晚，伍朝樞外長宴請天羽英二總領事，表示希望日本芳澤公使從中調停、斡旋。十七日，天羽致電伊集院外相，認為「有慎重考慮之必要」。不過，伊集院外相向英駐日公使表示將儘可能與列強協力。孫中山想透過日本調停的希望遂成泡影。日本雖與列強共同行動，但與美、英等國之間的態度仍有差異。美、英具有率先的、主動的特點，日本則以被動的、追隨的形式參加。這與列強在廣東地區的殖民利益是密切相關的。㉞

至十二月底，列強態度明顯轉趨緩和，除法艦和葡艦先已離開廣州外，三十一日美國駐廣州總領事詹金斯（Douglas Jenkins）亦下令驅逐艦離開廣州港域。十三年一月初，美公使舒爾曼藉

㉜ 呂芳上，前引文，頁二六六—七；陶文釗，前引書，頁一〇三。
㉝ 王建朗，前引書，頁一四二。
㉞ 俞辛焞，《孫中山與日本關係研究》，頁二五九—二六〇。

口赴滇，順道來粵「調停」，關餘事件開始有了轉機。這時孫中山正在廣州積極進行黨的改組工作，第一次全國代表大會尤正在大力進行籌備之中，公使團頗有調和之意，中山先生也不願樹敵太多，影響革命事業的進展，因此也同意透過交涉途徑，解決事端。㉟

舒爾曼於一月五日搭乘「墨黎納」號自香港抵廣州，與該處領事團及各國海軍官員會議，討論粵海關問題。出席者計有領袖領事英領真密孫、美領詹金斯、法領波維（M. Beauvais）、日領天羽英二、美海軍提督羅連臣（Captain Lannon）、美館海軍參贊陳尼上校（Colonel Cheney）、英國艦隊司令賓遜大將、英艦麥那里亞號管帶李文生爵士（Lord Livingstone）、法艦克拉尼號管帶海軍提督費洛扎等人。美使秉承美政府宗旨而行事，採取穩健和平的立場，發言異常慎重，認為繼續以砲艦威脅，並非良策。㊱同日，並先拜會伍朝樞。

一月六日舒爾曼由伍朝樞、詹金斯及諾曼（Robert Norman，中山先生的政治顧問）陪同，晉見孫中山，傾談近兩小時。關於談話的內容，孫中山未曾有直接的言論發表，伍朝樞則曾對新聞記者發表過談話，舒爾曼、詹金斯等曾對柯立芝總統提出報告，舒氏本人也曾對英文《京津泰晤士報》記者發表過談話，林百克（Paull Linbarger）在《孫逸仙傳記》（*Sun Yat-sen and the Chinese Republic*）一書中，也有所記述，其中以伍朝樞的談話最為具體：

關餘案前經駐京美使舒爾曼來粵，提出調解意見。首先與余晤面，謂將向外交團提議，將廣東應得關餘，撥作治河經費，庶使各方均能保持面子。余曾答以廣州政府，曾有公文發表，聲明決不將關餘供軍用，而以該款應治河辦學校之需；今貴使提議，正為原訂計畫之一部，自可贊同。嗣商及交款手續問題，則美使之意，欲使總稅務司直接撥交治河處；余則主張交廣東政府，再電政府撥作治河之用。蓋用途之指定，係為余個人之信約，而政府對於該款之所用權及其處分權，固不容外人之干涉也。關於此點，未有成議。次日，偕舒氏往謁中山先生，談及茲案，其初頗不投契。至後中山先生對舒爾曼意見，已表示贊同，惟於交款辦法，則未之討論。美使退出後，余向彼聲明：中山先生在適間，係在主義上承認貴使之意見，至實行手續，則仍應依照昨日所議辦理。

伍氏在上項談話中提及，孫中山在與舒爾曼談話時，「其初頗不投契」，舒爾曼本人亦證實此事。他曾向柯立芝總統報告：「兩小時談話的前十五分鐘，孫氏對我談起世界上壓迫者與被壓迫者——中、俄、德、印度等——之間的衝突，以及資本主義國家——包括美國——未來關係等，簡直像一個瘋狂的人。」於對《京津泰晤士報》記者談話時，舒爾曼亦稱「重申尚無承認軍政府之機會，孫先生意頗不悅。」據林百克記述，中山先生曾問舒爾曼：「美國是否誠意願為中國之至友」；並謂：「如美國欲對中國表示真正之友誼，應先歸還上海、漢口之所謂美租界，以為誠意之保證。」據舒爾曼透露，中山先生亦提及「由美國人出面贊助，以便中國各方首領可以召集會議，以謀中國之和平」的建議。但舒爾曼並未重視此一建議，他甚至未曾

㉟ 呂芳上，前引文，頁二六七。
㊱ 王聿均，前引文，頁二九六。

向國務院提出較為詳細的報告，而詹金斯總領事則譏評中山先生此一提議為「完全不切實際」，「因為孫先生只管轄極小一部分的領土，根本沒法使得北方強而有力的軍事首領接受他所提的任何措施。」㊲

涉及關餘問題，另據鮑羅廷（Michael Borodin）憶述：「孫中山向舒爾曼表示，即便他不得不同列強各國作戰，他也將用武力取得關稅。舒爾曼答應對於友好地解決向廣州政府轉交關餘的問題提供幫助，只要將關餘用於改善內河航行和改善航道，而不用於軍事需要。孫中山表示贊同，但他責備了舒爾曼乃至列強對待中國的不公正態度。孫中山說：『列強拒絕承認按權力應屬於我們的東西，同我及我的政府進行鬥爭。同時，他們不是按照華盛頓會議的決議以自己的干涉裁減督軍的軍隊，反而支持督軍。』」㊳

美國公使舒爾曼的廣州之行，並未能消除孫中山對美國政策的不滿。惟關餘問題，確由於他的折衷建議終於獲致暫時的和平解決。四月一日，北京公使團作出決定，同意將粵海關關餘撥付廣州政府。同日，停泊在廣州港的外國軍艦也陸續開始撤走。六月十九日，北京政府命令安格聯撥粵海關關餘充作西江疏浚費用，孫中山即派林森為廣東水利督辦。這樣，圍繞著關餘問題而展開的漫長交涉，實際上是以廣州政府的勝利而告終。這一勝利，不僅紓解了廣州政府的經濟困難，更重要的是，它意味著列強炮艦政策在中國的第一次失敗。因此，它對南方政府今後的反帝國主義侵略和廢除不平等條約鬥爭，有著重要的鼓舞和啟示作用。㊴

第三節　中山先生北伐與美國

綜孫中山一生，為了討伐北方軍閥，追求統一全國的目標，前後曾發動兩次北伐。第一次自民國十年十二月抵桂林設大本營，迄於十一年四月，因陳炯明在廣州之掣肘而返旆；五月再於韶關誓師，至六月十六日復有陳炯明之叛變、攻擊總統府之事件，至八月間孫先生不得已而離粵，兩者總計歷時八個月。第二次於十三年九月，移大本營於韶關，隨之分向贛、湘出發，至十二月譚延闓湘軍在江西之被迫後撤，歷時約四個月。㊵

民國十一年四月中旬，孫中山接受美國《華盛頓郵報》記者訪問，指出「廣東合法政府北伐之目的，不在中國北方人民，而在日本及為日本外府之北廷。……蓋中國若不推翻日本在中國之勢力範圍，日本必利賴中國之天產及人民，以遂其窮兵黷武之帝國主義。能維持太平洋和平之國家，非英國實中國也。吾人今日自救，即可以使全世界免除日本武力之危害；北方同胞亦逐漸醒悟，將與吾人同心協力，推翻日本之外府。推原北庭之所以能存立者，良由列強各國之承認。倘各國否認之，中國即能統一於民意合法政府之下，然後解散無用之軍隊，整理財政，

㊲ 李雲漢，前引文，頁三六六—七。
㊳ 《孫中山年譜長編》，下冊，頁一七八七。
㊴ 王建朗，前引書，頁一四三。
㊵ 呂實強，〈孫中山之兩次北伐〉，《北伐統一六十周年學術討論集》（民國七十七年十月），頁一六六。

禁止賄賂，則國庫充裕，外債即可清償。故列強多承認北廷一日，即多重苦中國人民一日，亦即中國真正民治之政府，不能早現一日。美國自來對於中國毫無攫取土地之野心，亦未利用中國衰弱以營私利，故今日否認北廷，當然事也。」㊶

統觀孫中山在北伐前後所發表的宣言和談話，主要在推倒軍閥及軍閥所賴以生存的帝國主義，孫中山認為「美國素重感情，主持人道」，美國的領袖地位足以左右他國，又得中國人民信任，所以希望美國協助中國抵拒日本，希望美國協助中國整理財政，更希望美國出面召集會議，協助中國解決問題。

孫中山北伐，對美國所提出的第一件外交訴求，便是向美國要求撤銷對北京的承認。在華盛頓會議期間，孫中山的駐美代表馬素曾將廣州政府的提案，分發給各國首席代表，並再一次要求列強撤銷對北京政府的承認，但美國國務院始終沒有理會。㊷伍廷芳甚至向美國要求，「若不能撤銷對北京的承認，是否可允不干涉，使雙方作一決戰。」中國內戰是美國最不願見之事，美國最大的希望在南北達成和議，使國際銀行團能充分作業，此即女史家柏格（Dorothy Borg）所稱的「華盛頓模式」（Washington formula）。㊸

孫中山的第一次北伐，因未獲陳炯明的支持，不久即撤兵。消息傳到華盛頓，國務卿許士大喜過望，即刻報告哈定總統。蓋國務院認為孫先生乃中國統一之障礙也。㊹美國公使舒爾曼對孫中山和陳炯明有不同的評價，他認為「孫中山一心想擴充那朝不保夕的政府，是有野心的軍人」，而陳炯明和他的同僚，「則反對為擴充武力，而壓榨廣東人民的生命財產」。㊺

民國十一年四月初，直奉戰爭爆發前夕，孫中山派遣伍朝樞至奉天與張作霖談判，推動「三角反直同盟」。據美國廣州副領事休斯頓（Jay Calvin Houston）報告，伍氏回到廣州後向他表示：根據在奉天的協議，孫中山將被推為總統，段祺瑞出任副總統，新政府改採聯合政府形式，舊國會取代新國會，張作霖支持梁士詒組閣，吳佩孚或徐世昌必須接受此事，否則就被排除。舒爾曼於報告國務院時，提到吳佩孚不打算用激烈手段擴大和孫、張之間的對立，但如果孫發動占領漢口攻勢而威脅其地位時，彼必將反擊。舒爾曼強調，吳佩孚的政治思想單純而誠實。[46]及直奉交戰，直系獲勝。美國以為「強人」再度出現，結束內戰有望。[47]

廣州政府所展開的北伐軍事行動，因不獲陳炯明的支持，湖南戰事受挫。孫中山告訴當時正在廣州訪問的美國助理軍事參贊費隆（Wallace C. Philoon），陳炯明因不支持北伐而遭解職處分。舒爾曼於五月二十日向國務院報告，陳述孫、陳之間的衝突，並分析南北之間的情勢，認為直奉戰事已近尾聲，奉系慘敗，且直系的吳佩孚與陳炯明之間已達成某種妥協，北伐無望，據廣州政府外交委員會表示，南方派等待吳佩孚開出和平條件，如是符合要求，準備說服孫中山接

41 孫中山，〈推翻帝國主義實現中國真正民治政府〉，《國父全集》，第二冊，頁五五〇；《孫中山年譜長編》，下冊，頁一四四一。
42 吳翎君，前引書，頁一三三—四。
43 王綱領，前引書，頁二一七。
44 同前註。
45 吳翎君，前引書，頁一一九。
46 Schurman to the Secretary of State, FRUS, 1922, Vol. I, pp.690-691.
47 王綱領，前引書，頁二一七。

受。如果勝利的吳佩孚致力於憲法政府之完成及中國統一之工作，孫中山則準備和北方和談。舒爾曼估量中國政情愈來愈樂觀，但問題在於中國能否把握住這一機會。他覺得「孫中山不可能成為一個負責任的政治家。」㊽

同年六月十六日，陳炯明部砲轟觀音山總統府，孫中山脫險後避難於永豐艦，繼續指揮陸軍與叛軍對抗。廣州副領事休斯頓當日即向國務院報告此事。不久，休斯頓登艦訪問孫中山，並勸孫中山下野。他在給國務院的電報中，提到廣州政府外交總長伍廷芳於二十一日交出廣東省長印信，二十二日陳炯明被推為廣東臨時省長，包括伍廷芳及廣東海軍都一再要求孫下野。二十三日，休斯頓向駐華公使舒爾曼發出急電稱，孫中山暗示如能有尊嚴的退路，願意離粵，希望領事團能從中斡旋，因為據瞭解英國駐廣州總領事有意調停，美國是否願意加入，頗令人矚目。舒爾曼的答覆是：「美國駐廣州的領事館，既不可從中斡旋，也不應該提供良好的幫助。」舒爾曼同時向國務院說明了這項決定的理由，他認為「孫中山是中國重新統一的顯著障礙。」「現在別無他法，只有清除孫中山，非勝即敗，如果陳炯明沒有收拾孫中山，似乎留待北京政府來完成。」他向國務院建議說：「外國的調停，只會壯大孫中山的威望，並確保孫將來的聲譽。」美國國務院於六月二十六日答覆：「國務院不贊成廣州總領事館參加任何調停計畫，你在這方面的意見，國務院無條件同意。」㊾換言之，從舒爾曼到國務院，都不贊成美國出面調停，「為孫逸仙安排一個光榮的退路。」

六月二十五日，孫中山的美國顧問諾曼前往拜會休斯頓，討論取得前往上海的安全保證，但美領事館未曾給予協助。至八月九日，孫中山以北伐軍回師失利，決定離粵赴港，他希望美國能夠提供他赴港的交通工具，派那文和女婿戴恩賽，分別向美國駐廣州領事和白鵝潭上的美國軍艦洽商乘艦離粵事宜[50]，但廣州領事已奉駐華公使與國務院之命，不得參與調停孫、陳戰事，因而拒絕孫中山的請求。最後還是英國領事館派「摩漢號」（Moorhen）砲艦相送，孫中山與蔣中正、陳策等人才順利抵港，換乘「俄國皇后號」（Empress of Russia）去滬。[51]

美國政府始終認為孫中山是中國統一的最大障礙，而陳炯明事變有利於中國的統一。舒爾曼更由此認定，孫中山不可能東山再起，但他很快會發現這種看法，恐怕是一項嚴重的錯誤。孫中山於八月十四日抵達上海後，各團體代表在吳淞口岸歡迎者約數千人，連日颶風驟雨，鵠立江岸不倦。[52]翌日，孫中山發表〈宣布粵變顛末表示統一意見宣言〉，提出了新的號召：主張合法國會自由行使職權，實施兵工計畫，發展實業，尊重自治，以和平方法促成統一，討伐叛國禍首陳炯明。[53]他並且先後派員分赴北方及西部與各派聯絡，直、皖、奉、黎等集團也都派代表至滬相商。黨務方面，則召集張繼等五十三人舉行會議，力謀改進，對外交涉——尤其是對俄交涉，已在秘密中展開。不管從任何角度看，孫中山在滬比在粵時更能控制全盤形勢，

---

[48] 吳翎君，前引書，頁一二一—二。

[49] The Acting Secretary of State to Schurman, FRUS, Vol. I, p.725.

[50] 莫世祥，《護法運動史》，頁二二三。

[51] 李雲漢，前引文，頁三五〇。

[52] 《孫中山年譜長編》，下冊，頁一四九二。

[53] 孫中山，〈宣布粵變顛末表示統一意見宣言〉，《國父全集》，第二冊，頁九七—九。

他簡直不是一個已被推翻的失敗者，而是各方仰望的一個中心人物。54

八月十六日，上海美商《大陸報》（*The China Press*）刊出孫中山慷慨激昂的對外宣言，表明了他為建立南方政權以堅持憲政民主的努力，並且嚴正譴責北方軍閥的黷武主義和陳炯明的叛變。55孫中山一時之間，不但成為媒體報導的焦點，更成為中國政局注目的中心。誠如《紐約時報》刊出了合眾社發自上海的報導所說：「孫已成為各派人士在上海集會的中心關鍵人物；他的住所已變成各方面意見並不一致的政治領袖們的『麥加』（Mecca）——人心歸向的所在，許多宴會在舉行著，而政治卻是這些宴會中的主菜。」56

美國駐上海總領事館的官員們看到這種情形，非常吃驚，總領事克寧漢（Edwin Cunningham）於八月二十二日向國務院報告說：

> 在南方失敗了，孫逸仙現在卻變成比任南方政府首領時更具全國性格的人物。很多北方的著名軍人與民政首長，都來尋求孫先生的支持。57

克寧漢從中山先生受歡迎人數之多，拜訪者之頻繁，甚至得出「此人極有影響力」、「孫中山是個可信賴的政治家」的結論。58

遺憾的是，不論上海總領事的報告或《紐約時報》的報導，終究無法絕對影響美國國務院對華政策之轉向。即使在民國十二年二月孫中山重返廣州，續行大元帥職權，甚至成立合法政府之後，美國政府對孫中山以及廣州政府仍不改以往的冷漠態度，關餘的交涉便是最佳的例子。

自廣州政府建立之後，孫中山一如革命之初，不獨精神上深受美法革命自由獨立精神的影響，制度上亦「實以美國為模範」，而我「華人亦信任美國」，認為「美國是中國真正的朋友」，故對美國抱持熱切期待，積極拓展聯美外交，一次又一次地呼籲美國政府施予援手，出而主持公道，然而在孫中山晚年，從威爾遜、哈定到柯立芝這三位前後主政的美國總統，所給予中國革命領袖的，卻是不睬不理，甚至鄙視，始終未能叩開美國的外交大門，真是「我本將心託明月，奈何明月照溝渠」！

孫中山在廣東的外交，需要走出去；中山先生的北伐，需要爭取與國。在一連串對美交涉不受重視，備遭冷遇，對美國從希望到失望乃至絕望之後，孫中山的革命不得不採取「以俄為師」的聯俄政策。換句話說，就在孫中山內外交困之際，蘇俄向他伸出了援手。孫中山在別無選擇的時候做出了選擇。民國十二年他在對記者的一次談話中，無奈的說出他的心情與處境。他如此感傷的說：「中華民國就像是我的孩子。他現在有淹死的危險，我要設法使他不沉下去，而我們在河中被急流沖走。我向英國和美國求救，他們站在河岸上嘲笑我，這時候漂來俄國這

---

[54] 李雲漢，前引文，頁三五一。
[55] 吳翎君，前引書，頁一二四。
[56] 同註[54]，頁三五一—二。
[57] 同註[54]。
[58] 王綱領，前引書，頁二一八；吳翎君，前引書，頁一二四。

根稻草，因為要淹死了，我只好抓住它。美國和英國在岸上向我大喊，千萬不要抓住那根稻草，但是他們不幫助我，……我知道那是一根稻草，但是總比什麼都沒有好。」[59]

[59] 《孫中山集外集》（上海人民出版社，一九九九年），頁二九九。

第六章　美國人及美國官方眼中的孫中山

第一節　美國在華媒體對辛亥革命的報導

一九一一年辛亥革命之前，曾有少數的美國記者被派往中國。其中著名者有美聯社的摩爾（Frederic Moor）、澳大利亞人唐納（W. H. Donald）和歐魯（J. K. Ohl）。後兩人為紐約的《時代》和《先驅報》撰寫文章。傳教士和商人有時也從北京、上海以外地區提供報導，但其有關中國事務的報導顯得隨意而膚淺，與美國對外政策似乎也沒有關聯。

無論就數量、重要性或影響力方面而言，美國的報導都無法與英國記者及其新聞網相提並論。以倫敦《泰晤士報》的莫理循（G. E. Morrison）為首的英國新聞界廣泛報導中國事務，其報導也為美國媒體廣為轉載。僅次於莫理循的是路透社駐北京記者韋恩納（A. E. Wearne）。此外，上海的主導英文報紙《字林西報》（*North China Daily News*）明顯傾向於舊王朝。總體而言，以莫理循為首的英國媒體強力支持袁世凱，把他當做晚清有效的改革者。

辛亥革命使得美國媒體更加關注中國，更多的美國記者被送往中國。當十月十日武昌起義爆發後，美國報紙發行人諸如赫爾斯特（Hearst）和《紐約時報》的 Sulzberger 迅速加大關於中國報導的力度。美聯社將其最好的亞洲記者麥考密克（Frederic McCormick）調往中國。過去偶而從華南為美國提供報導的唐納，則在美國有關中國的報導方面發揮了更顯著的作用。唐納搬到上海，並與辛亥革命活動家們保持聯絡。起初，紐約《先驅報》記者歐魯撰寫了清王朝覆滅以及其意味著中國分裂的驚人報導。但歐魯的報導很快就被唐納及傾向新共和政權的觀點所取代。隨著美國媒體一九一一年晚期更趨於獨立，一位更重要的新聞人物出現在中國。他就是當年夏天來自美國密蘇里新聞學院的密勒（Thomas Franklin Millard, 1868-1942）。密勒於一九一一年同其他一些中美人士在上海創辦了英文日報——《大陸報》（*The China Press*）。

一九一一年十月十一日，《大陸報》搶在英國報紙之前，頭版刊登年輕的密蘇里人克勞（Carl Crow, 1883-1945）有關武昌兵變的消息。為了突出其報導，他採用了美國式的醒目標題。只是由於總編輯密勒的堅持，克勞才把標題裏的「革命」一詞改為「地方兵變」。但密勒很快就改變主意。在不到一個月的時間裏，由於唐納的到來以及與伍廷芳越來越多的交往，《大陸報》開始把其後推翻清王朝的武昌事件描述為革命。密勒及手下記者們的觀點傳播給了其他為美國媒體工作的記者們，所以到了十一月份，紐約和地方報紙的報導開始明顯地轉向於支持共和國。❶

因此，密勒和唐納成為美國方面影響有關一九一一年革命的報導的關鍵人物。一九一一年辛亥革命的歷史重要性因此而得到承認。做為其努力的一部分，密勒力爭建立起美國媒體與中國官方的正式聯繫，以此贏得美國輿論對新政權的支持。為抵制美國人對中國事務的冷漠，他需要證明辛亥革命是會給新中國帶來改革與穩定的積極力量。新中國也會尋求美國的諮詢和投資。在中國方面，全力合作朝上述目標努力的人是伍廷芳。伍除了被任命為革命政權在上海的對外事務發言人外，他也是《大陸報》的好朋友和股東之一。

總而言之，一九一一年革命是美國媒體報導中國的轉折點。在密勒和伍廷芳的領導下，美國的報導擺脫英國媒體的專控，變得非常獨立。此後更多的美國記者前往中國的口岸城市開始其記者生涯。雖然一九一一年新聞媒體對美國對華政策的影響程度尚難評估，但毫無疑問它幫助了在美國公眾輿論中塑造了一個良好的中國的形象，並且有助於稍後二〇年代大量在華慈善活動的展開。因此，儘管中美關係歷經了上下起伏，但一九一一年時媒體已為中美良好願望和特殊友好關係打下基礎。

❶ 本節取材自麥金農（Stephen Mackinnon），〈中國報導——美國媒體與一九一一年辛亥革命〉一文，收入中國史學會編，《辛亥革命與二十世紀的中國》（北京中央文獻出版社，二〇〇二年八月），下冊，頁二〇〇〇—二〇〇六。

第二節　美國《獨立雜誌》對孫中山和中國革命的評論

在中山先生的革命過程中，他和美國的關係是異常深厚的。美國的報紙和期刊，對民初革命的發展，頗為關注；對孫中山創立共和政體的功勛，更有平實而親切的報導。限於篇幅，在此僅以《獨立雜誌》（*The Independent*）為例做一些相關分析。

《獨立雜誌》是代表公理教會的一個宗教刊物，一八四八年十二月七日在紐約創刊，至一九二八年十月因經費困難被迫停刊。這份週刊，除了宣揚教理之外，還發表許多有關政治、文學和教育的文章，在它的極盛時期，每週銷路逾二萬五千份，為美國三大宗教期刊之一。《獨立雜誌》對中國的革命事蹟和民初的政治，常有詳盡的報導。除了在言論上讚揚中山先生的反清革命之外，還邀請中外朝野的領袖，撰文評述民初的政情。值得一提的是，中山先生曾在該雜誌先後發表三篇英文著述，依時間順序分別是：㈠〈中國的第二步〉（China's next step）；㈡〈中華民國〉（The Chinese Republic）；㈢〈平白的話〉（Plain speaking from China）。更重要的是，這份刊物還先後派員訪問孫中山、袁世凱和黎元洪等南北政治領袖。他們的談話記錄，都是很寶貴的史料。❷

㈠《獨立雜誌》對孫中山的評論

一九一二年一月四日，《獨立雜誌》的社論，以〈孫博士的玄義〉（The Mystery of Dr. Sun）為題，頌揚孫中山的革命功績。一星期之後，它又刊載山川義弘的〈中國第一任總統〉（The Fist President of China）的一篇專著，記述孫先生的革命事業。山川是日本大阪《每日新聞》派駐紐約的通信記者，他曾追隨中山先生多年，對孫先生頗為熟稔。據山川的紀錄，孫先生身高五尺四寸，是一位羞怯而緘默的領袖，他喜歡閱讀許多不同類別的書籍，尤精通軍事學。他所崇拜的偶像，包括拿破崙和西鄉隆盛。

六月十三日，《獨立雜誌》刊登一篇社論，題名〈孫逸仙博士〉（Dr. Sun Yat-sen），著者特別推崇孫先生的革命策略。孫先生的反清革命，不注重統率軍隊，馳騁沙場。他領導留日的中國學生，反抗暴政。推翻滿清王朝以後，他又辭讓了總統的尊榮，努力鼓吹社會革命。他集政治家和哲學家的精華於一身。早在四月十一日，該雜誌曾發表專文，介紹亨利喬治的單稅法。據四月十八日的報導，孫先生坦白承認，他終生服膺亨利喬治的經濟思想，更堅信單稅法能幫助中國發展成為一個進步和富強的社會。政治革命的終結，應是社會革命的肇始。孫先生宣導改革的決心和熱誠，常贏得《獨立雜誌》的讚許。

大致來說，《獨立雜誌》對中山先生創建民國的評論，還算平實和公允。可是，為了它的

---

❷ 本節主要摘引自：㈠陳福霖，〈美國《獨立雜誌》所刊孫中山先生的三篇著作〉，收入《研究中山先生的史料與史學》（中華民國史料研究中心，民國六十四年十一月）頁三一七—三四四；㈡陳福霖，〈美國《獨立雜誌》對孫中山先生和中國革命的評論（一九一二—一九二五）〉，收入《中華民國史料研究中心十週年紀念論文集》（中華民國史料研究中心，民國六十八年十一月），頁二四五—二五六。

宗教背景，該雜誌常過份強調孫先生信奉基督教的重要性。例如，在前述的〈孫博士的玄義〉的一篇社論裡，著者便誇張的評論基督教義對孫先生革命事業的影響。他還把孫先生的宗教信仰和他的愛國思想相比擬。此外，一九一二年二月廿二日的另一篇社論，也同樣的斷定孫先生辭讓總統職位的決定，是受了自制克己的基督精神所感染的。這種偏誤的論調，不但貶抑了孫先生的高明光大，更忽視了中國革命的獨特性格。

據陳福霖的看法，《獨立雜誌》所刊載的許多有關中國革命的文章，都犯了一個普遍的毛病。它們常站在美國的立場，以西方文化的標準來衡量孫先生的成就。基於這種以美國為中心的價值觀念，《獨立雜誌》誇大了美國對中國革命的貢獻。它的作者還斷章取義的徵引孫先生的講演，以求證美國在孫先生的革命事業中所佔的份量。例如在〈孫博士的玄義〉這一篇社論裡，著者引錄了孫先生在一九〇六年寫的一封信中的一段話說：

> 我們一定要向美國的人民求取同情，希望贏得他們的精神和物質的援助。……在我們創建新政府的時候，我們將以美國的政治制度為模範。

又如一九一三年四月十日，《獨立雜誌》報導美國政府將要承認中華民國的消息。這篇時事新聞的作者，稱譽孫先生建立共和政體的努力。可是，據他的解釋，孫先生早年旅遊美國時，開始接受民主思想的洗禮，因此，中國在孫先生領導之下，很快便走上了「美化」的道路。這類的言論，雖然代表了美國人民對中山先生的反清革命的同情和支持，卻也同時反映出美國輿論的疏漏和偏見。

(二)《獨立雜誌》對中國革命的評論

自一九一二年至一九二五年期間，除了時事報導和社論之外，《獨立雜誌》還刊載了三十多篇的專文，評述中國的政治和外交。這份雜誌對辛亥革命的報導最為詳盡，立論亦尚稱公允。例如，一九一二年一月四日，它的一位記者稱譽中華民國的創立為政治的奇蹟。一月十八日，蓋治（Brownell Gage）在他的〈我在中國革命的經歷〉（My Experiences in the Chinese Revolution）一文裡，要求他的美國讀者，對反清的革命寄予最大的同情。

早在一九一二年一月二十五日，《獨立雜誌》的社論已開始呼籲美國政府，正式承認中華民國。這篇短文的作者，對世界史上最年輕的共和政府支持甚力。由於新中國的政治領袖，有不少曾遊學美洲，深受美國民主思想的薰陶，故作者認為，美國對中華民國，應負提攜的責任。十二月十二日，《獨立雜誌》刊登另一篇社論，指責美國，還沒有承認中國的共和政府。這類的言論，象徵著中美兩國友善的歷史傳統。

遺憾的是，《獨立雜誌》對中國革命的精神，常有錯誤的認識。它對袁世凱和他的北洋系軍閥備極讚揚。一九一二年二月二十二日，該雜誌的一篇社論，稱頌袁世凱為一個愛國的政治家，和孫中山同是中國的棟樑。此外，該雜誌曾刊登兩篇袁世凱的訪談記錄，袁氏極力否認有意推翻共和政體，並信誓旦旦的對訪員說：「在中國，帝國早已絕亡了。」而《獨立雜誌》竟然深信不疑，這不啻是美國對中國革命膚淺見解的縮影。

除了重建中國之外，抗拒帝國主義的侵略和保持中國領土的完整，乃是孫中山革命的重要目標。《獨立雜誌》雖然同情中國的革命，但卻對日本掠奪山東，藐視中國主權的非法行為姑息縱容。一九一五年一月，日本向袁世凱提出二十一條要求。正當世界輿論沸騰之際，該雜誌竟於四月十二日，登載了日相大隈重信從東京寄來的電報，否認對中國存有強據領土的野心。一九一九年五月卅一日，在列強召開巴黎和會期間，《獨立雜誌》又以〈一個公平的交易〉（A Fair Transaction）為題，刊載日本駐美大使石井菊次郎的專文，闡釋日本政府對山東問題的立場。在這篇文章裡，石井引述一九一五年和一九一八年的中日條約，以為日本侵略山東的法理依據。他還對美國的讀者保證，中日兩國只有經濟互惠的合作，絕無真正的利益衝突。《獨立雜誌》刊登這種強詞奪理的言論，不但助長了日本在東亞的橫霸行為，更有違美國支持中華民國的初衷。

總的來說，《獨立雜誌》的宗教背景，影響了它對孫先生和中國革命的言論。它以傳教士的熱誠，衷心地讚揚中國創立共和政體的努力。但是，這份雜誌沒有充分了解孫先生對中國的期望。在護法運動期間，它盲目地支持北方的軍閥，而貶謫了廣州政府的使命。例如，在一九二一年十一月十二日，它撰文反對孫先生北伐。翌年六月十日，它又攻擊孫先生拒絕辭退總統職位的決定。它對日本帝國主義的曖昧言論，也犯了類似的毛病。結果，帶給讀者的是一種「強權即是公理」的錯誤觀念。

第三節　美國學界著作論述中的中山先生

中山先生在近代中國革命運動史上的顯赫地位，中外史家莫不一致肯定。而在近代中國歷史人物中，中山先生在世界史上的聲譽最隆，影響最大，因此有關他的外文傳記和研究著述也最多。據初步統計，當不下千百種之多。在這些研究成果中，有專著，也有學術論文；有生平事業的完整記載，也有對某項特定事件的專門研究；大部分都已出版，也有不少是未刊稿（包含碩、博士論文）；作者有中山先生的朋友，也有素昧平生的人；有海外中國學人與留學生，大多數則為外籍人士。❸

因篇幅所限，茲以在美國所出版的學術著作以及美國各大學的博士論文為主，論述它們所見的中山先生。

△　△　△　△

(一)學術論著中所見的中山先生

早年最流行的一種孫中山傳記，是中山先生好友林百克（Linebarger, Paul Myron Wentworth）所著的《孫逸仙傳記》（*Sun Yat-sen and the Chinese Republic*）一書。一九二五年，紐約 The Century Co.初

---

❸ 李雲漢，〈研究中山先生的英文史料〉，收入《研究中山先生的史料與史學》，頁三九九—四〇〇。

版，AMS Press於一九六九年再版。係外籍人士所著第一部完整的中山先生傳記，亦是唯一引用中山先生在世時口述資料寫成的傳記。中文譯本為徐植仁譯，初由上海三民公司於民國十五年出版，繼由中國文化服務社於民國三十年出版。❹

林百克的兒子林白樂（Paul Myron Antony Linebarger, 1915-1966）克紹箕裘，窮畢生之力從事於研究中山先生的政治思想，所著《孫中山先生的政治學說》(*The Political Doctrines of Sun Yat-sen*）一書，係其在霍布金斯大學（John Hopkins University）的博士論文，一九三六年由該大學出版部出版。哈佛大學名教授何爾康（Arthur N. Holcombe）為撰前言。羅時實教授曾撰書評，認為是「一本值得重看的舊書」。林白樂認為孫先生發動革命的急切要著，是把民族國家的概念注入中國人的意識形態，以代替舊時中國人對待外來者，不是一味崇洋，便是盲目排外的兩極端態度。林白樂因其家庭與孫先生有深長友誼，相知最深，故指出孫先生在取得政權之前致力宣傳工作，是要使國民先在心理上有一意識清楚的國家，他所憧憬之新的中國是如林肯所稱之「民有」、「民治」、「民享」，為使國家在經過非常的破壞之後，能順利有非常建設，所以主張有萬能政府做為這一個國家的政治工具。林白樂曾綜合許多權威學者的意見，確認中山先生的權能區分學說是他對政治理論的一項原始貢獻。林白樂又認為民生主義是中山先生一生的精心傑構，也是三民主義中給他麻煩最多的部分。因為團結國內民族，解除帝國主義威脅，樹立民主政治規模，都可從歐美日本取得參考，只有民生主義的經濟，在他從事之草創之時，尚無可資借鏡之處，因此可以說是屬於孫先生個人的創作。❺

「他不再僅是中國人，而應該是位世界公民。」這是林白樂對中山先生所做的讚語。中華民國政府為酬庸其對中山先生思想所做之學術研究與宣揚，特於民國五十四年十一月孫先生百年誕日邀其來臺，由國立政治大學授予名譽法學博士學位。林白樂特以〈孫文主義的世界性〉（The Universality of Sunyatsenism）為題，對於他之認定中山先生為一世界人物之論點，提出以下幾點具體論證：

(1)孫中山先生較之任何一位在一九〇五與一九二五年間和他同時代的人物，對二十世紀的性質具有更深入的觀察與瞭解。

(2)他是世界上第一位，為今日許多新興國家在政治與文化上製訂許多必要步驟，並使其凝為一套。這一套步驟，是這些國家最後成熟為康樂適時的現代國家之前，必須要經過的。

(3)他的基本概念，從人類世界性經驗上看，每隔十年會比以前更能接近實際，在和他同時代的威爾遜、列寧、甘地的思想中，他的思想比較最經得起時代的考驗。

(4)儘管孫先生永遠把他自己看做是一個中國人，並且自始至終為中國奮鬥，但他卻是一位真正最完美的世界人。他留給世界的一套意識形態及計畫，既可適用於剛果、新幾內亞，也可適用於玻利維亞。他對世界各國的重要性與它對過去的中國和未來的中國，都毫無二致。

(5)在歷史性的出版物中，中國人的孫中山已掩蓋了世界公民的孫中山。這位經濟政治思想

❹ 李雲漢，前引文，頁四〇四；另參閱李雲漢，〈關於國父傳記著述的評述〉，同前註書，頁二一八—九。

❺ 羅時實，〈一本值得重看的舊書——林百樂教授著：《孫中山先生的政治學說》簡介〉，《中華學報》，一卷一期（民國六十三年一月），頁二三一—六。

家的孫中山先生對幾乎所有近代發展的那些問題，在世界其他任何人開始感到憂慮的四十年乃至六十年前，他已經看出來了。❻

△　△　△　△

美國是現代中國的研究中心，對孫中山傳記的寫作亦不落人後，除林百克與林白樂父子的著作外，一般認為以沙曼（Lyan Sharman）❼、史扶鄰（Harold Z. Schiffrin）、韋慕廷（C. Martin Wilbur）三人的著作，最有內容，最有見解，亦最受重視。❽

史扶鄰教授係以色列人，早歲在美國接受大學教育，入伯克萊加州大學研究院，所著《孫逸仙與中國革命的起源》（*Sun Yat-sen and the Origins of Chinese Revolution*）一書，由加州大學出版社於一九六八年出版。

根據張朋園的書評指出，史扶鄰對中山先生有甚多個人的看法，茲縷列如下：

(1)認為中山先生不是一位思想家或哲學家，而是一個革命實行家。

(2)認為中山先生有妥協的性格。此一性格在〈上李鴻章書〉之前便已流露。凡是有利於強化革命陣營的力量，雖屬三教九流，皆在聯合之列。大體言之，所要聯絡的對象有四：士大夫階級、會黨、外國力量、青年知識分子。

(3)認為青年知識分子接受孫先生的領導是有條件的。他們在行動方面接受領導，在理論思想方面則不然。

(4)認為就中山先生的社會關係而言，同盟會組成之初，其領導地位是不穩固的，加上他的個性，他的行事方法，難於全盤領導，何況清廷以改革來對抗革命，多少又遏阻了孫先生的領

導地位。所以中山先生雖然在同盟會成立之後，一躍而為革命領袖，而要穩固這領導地位，還有待更多的努力。❾

史扶鄰的大作，由丘權政、符致興兩人合譯，一九八一年由中國社會科學出版社出版，中譯本的書名叫《孫中山與中國革命的起源》。大陸學者金沖及推崇它，認為「在近年來西方歷史學家對孫中山的大量研究著作中，要算是最重要的一部」。第一個重要的優點是，富有歷史感，他把孫中山初期走過的道路做為一個有血有肉的發展過程來考察，並且力圖探索和說明事情為什麼會有這樣的發展。第二個重要優點是，他把個人傳記與對當時整個歷史環境的考察結合起來。寫的雖然是孫中山的傳記，讀者卻能從中看到一個時代，並且多少感覺到了時代脈搏的跳動。金沖及更指出，史扶鄰筆下的孫中山，「既不是什麼天生的聖人，也不是什麼單憑個人意志、隨意創造歷史的超人，而是一個使人感到親切的、可以理解的現實生活中的人」。孫中山「是一個偉大的革命先行者；他又是在客觀形勢的推動下，經過內心的矛盾衝突，經過實踐的反覆探索，才最後走上革命道路的。」❿

---

❻ 同前註，頁二三七。

❼ Lyon Sharman, *Sun Yat-sen: His Life and Its Meaning* (Stanford University Press, 1934).

❽ 李雲漢，〈關於國父傳記著述的評述〉，同註❸書，頁二二二。

❾ 張朋園，〈評介史扶鄰著《孫逸仙與中國革命的起源》〉，《思與言》，第八卷第五期（民國六十年一月），頁四四—七。

❿ 金沖及，〈中譯本前言(一)〉，史扶鄰著，丘權政、符致興譯，《孫中山與中國革命的起源》（中國社會科學出版社，一九八一年六月），頁一—三。

另一位大陸學者章開沅也推崇史扶鄰是一位嚴肅的歷史學者，他一不像有些西方學者那樣，為了表示對「孫中山」的異議，就隨心所欲地貶低甚至抹殺孫中山在歷史上的客觀作用。章開沅指出，本書的特點是，往往首先展示歷史進程提出的迫切任務，繼而比較孫中山和其他重要人物對這個任務的理解深度、解決方案、依靠力量和實行辦法，然後令人信服地說明孫中山領袖地位的逐步形成和他對革命運動所起的實際作用。⓫

韋慕廷有關孫中山的代表作是《孫中山——壯志未酬的愛國者》（*Sun Yat-sen: the Frustrated Patriot*），一九七六年由哥倫比亞大學出版社出版，這是國際史學界的一件大事。蔣永敬教授對本書撰有詳實的長篇書評，認為「內容豐富，引證翔實，運用資料至廣，為國內一般有關著作所不常見者。」

韋慕廷在序言中首先指出，在所有的近代中國領袖中，孫逸仙先生可能是最受全世界中國人普遍尊敬的一位。當其生前，勤勞的海外華人曾為孫先生的理想捐獻數百萬金錢。在一九二五年三月去世時，舉國為之哀悼。其後被尊稱為國父，以尊崇他推翻滿清、建立民國以及後來反對軍閥和反抗帝國主義等種種貢獻。對中國人而言，他已成為一位崇高愛國者的象徵。

全書除引論外，共分九章，正文計二九〇頁，附註七八頁。第四章關於企圖利用外力，主要探討從民國成立以後到民國十一年六月陳炯明叛變前夕的十年對外關係，其中最值得注意的一節是「對美國的失望」。據韋慕廷指出，從一九一九到一九二三年中，孫中山可能將其主要外援希望，寄託在美國身上。其原因，在於日本和英國的侵略政策使他有所警惕；對於俄國和德國雖有好感，但蘇俄困於內戰及飢荒，戰勝的法國及戰敗的德國均疲憊無力。惟有美國為一強而有力的國家。而且中山先生對於美國的民主及經濟的力量，素表欽佩。他也有幾位美國顧問和很多接受美國教育的朋友。而美國令他失望的主要原因有二：一為當他退職時，美國重要官員注意中國問題時對他不予重視；一為當他主持廣州政府時，他們卻認為他對中國的統一是一項障礙。

在結論一章，韋教授對孫中山有褒有貶，充分表現出史家筆法。他對中山先生的褒揚之點，頗為公平；貶抑之處，亦非否定中山先生的偉大人格。在韋慕廷筆下，中山先生有多方面的優點：好學而廣求世界新知；堅強的意志；有吸引人的氣質；受到海外華僑的愛戴；早期革命受到愛國學生擁護；其世界眼光與進步的觀念受到中國知識分子的尊重，他不仰賴任何一個列強來救中國，但對他們均有所求，一九一七年以前寄其最大希望於日本；大戰時期及二十年代早期寄望於美國，並一度期望於德國；甚至當其「聯俄」時，仍設法爭取美國、英國以及日本的援助。韋教授也以責備賢孝的心情對中山先生有所評論，認為他的目的與方法未能一致，對國內軍閥的態度含混不明，有的計畫未能切合實際等。總之，中山先生百折不撓的精神，為其中國的理想而努力，為其同胞所獲得的尊敬，並非偶然。這是韋教授對中山先生的論定。⓬

韋著《孫中山——壯志未酬的愛國者》一書，由楊慎之翻譯，中譯本於一九八六年十月由廣州中山大學出版社出版。大陸學者陳錫祺雖對本書的論點持不同意見，但承認這是一部寫作

⓫　章開沅，〈中譯本前言㈡〉，同前書，頁一一。

⓬　蔣永敬，〈韋著《孫逸仙》評介〉，《中華學報》，第五卷第一期（民國六十七年一月），頁一五五—一八六。

態度認真、引用外文資料豐富，可以擴大視野，促進深入思考的嚴謹學術著作。他同意作者稱孫中山是一個不計個人得失，一心為國家的愛國者。陳錫祺教授認為，孫中山做為一個人，特別是做為一個革命領袖，毋庸諱言有不少缺點，但他不同意一般著作對孫中山所做的「神化」傾向，他比較欣賞像作者對孫中山的樸素、廉潔、堅忍的品格的肯定，這就使讀者不會感到孫中山是個受貶抑的歷史人物。[13]

△ △ △ △

歷史學者以及其他領域的作者，對於孫中山先生複雜一生的整理說明，與對其成敗得失的分析，迄今業已完成諸多書籍及研究報告。筆者限於篇幅，在此無法一一縷列介紹。在學術論著中，除了前述林百克、林白樂、史扶鄰、韋慕廷之外，我們願意再介紹張緒心（Sidney H. Chang）與高理寧（Leonard H.D. Gordon）合著的一本較新論著《天下為公——孫中山先生及其革命思想》（*All Under Heaven: Sun Yat-sen and His Revolutionary Thought*）。是書英文版由史丹福大學胡佛研究所（Hoover Instition）於一九九一年出版，中文版由林金源翻譯，由中山基金會籌備處於民國八十年十月出版。

據張緒心、高理寧的研究認為，中山先生「就像中國其他現代活躍分子一樣，在革命生涯中頓成高度爭議性的人物，他聲名鵲起，儼然成為領袖之才，而且投入無所不包的工作範疇，包括四處奔波、組織政治團體、撰寫思想論文以及領導軍政機構等。他幾乎是馬不停蹄，行蹤經常保密，以致歷史學者和傳記作家都很難闡釋出個所以然。」

根據作者研究觀察，中山先生具備足以令許多同儕肅然起敬的個人特質。首先例如，中山先生見面予人的第一個印象是：聲音柔和、神情安詳、舉止含蓄而討人喜歡，常令識者心生尊敬與信賴之感。採訪中山先生革命事業多年的一位日本記者，形容中山先生喜歡沉思，與人交談時從不正視對方臉部，而是眼看下方，彷若害羞的小女孩。從一九一六年至一九二四年擔任中山先生秘書的李祿超，描述中山先生談話時輕聲細語，態度鎮定，對人友善隨和，而且真誠直率。他還記得「他的微笑令人歡愉」，表示從未見過中山先生怒氣沖沖或暴跳如雷，認為他是一個可以愉快共事的人。李祿超還說，中山先生口才流利，但卻是一個「夢想家」，亟思建立一個健全而井然有序的政府——一個仁民愛物的政府。

作者引述一位中國問題觀家貝佛爾（Nathaniel Peffer）對孫中山的看法。貝佛爾對中山先生的「超人智慧」的「博學多聞」甚感敬佩，但卻批評中山先生「浮華不實」以及「渴望聽到讚美之詞」。貝佛爾尤其對中山先生的演說態度印象深刻，相信足以顯示，中山先生的內心平衡、自尊以及熱誠，更重要的是他的一片赤忱。貝佛爾認為中山先生是亞洲的偉人之一，或許也是這一代最偉大的中國人。⑭

㈡美國大學博士論文所見的中山先生

⑬ 陳錫祺，〈中譯本序〉，韋慕廷著、楊慎之譯，《孫中山——壯志未酬的愛國者》（廣州中山大學出版，一九八六年十月），頁一—五。

⑭ Sidney H. Chang, Leonard H.D. Gordon 著，林金源譯，《天下為公——孫中山先生及其革命思想》（中山基金會籌備處出版，民國八十年十月），頁一八七—九。

中山先生早期的革命活動，是以推翻腐敗的滿清政權和建立民國為目的，而一九〇五年成立的同盟會，則是反清革命運動中最重要的一個組織。關於同盟會和清季革命運動的歷史，美國學者十分注意，因此有關的博士論文不少，他們的研究趨勢，是選某一省來作專門的研究。

美國學者以特定區域為範圍，已完成專著的，至少包括了下列區域，廣東、四川、兩湖、江西、浙江、雲南及貴州等地。這種區域性的研究成果，常可提出對同一事件（如辛亥革命）在不同地區發展的相同性與殊異性，也可提出在同一地區、不同時間、不同事件產生背景的因果性與同異性，這在歷史學的比較方法上，尤其可以顯出積極的意義和貢獻。⑮

茲就所知，將這些區域性的博士論文，縷列如下：

1. Winston Hsieh（謝文孫），“The Revolution of 1911in Kwangtung”. Ph. D. Dissertation, Harvard University, 1970.
2. Edward Friedman, The Center cannot Hold: The Failure of Revolutionary Democracy in China From the Chinese Revolution of 1911 to the world war in 1914”. Ph. D. Dissertation, Harvard University, 1968.
3. Edward J.M. Rhoads（路康樂），“The New-kwantung: Reform and Revolution in China, 1895-1911”. Ph. D. Dissertation, Harvard University, 1970.
4. Charles H. Hedtke, “Reluctant Revolutionaries: Szschan and the Ch’ing Collapse, 1898-1911”. Ph. D. Dissertation, University of California, 1968.
5. Joseph W. Esherick（周錫瑞），“Reform, Revolution and Reation: The 1911 Revolution in

Hunan and Hupeh", Ph. D. Dissertation, University of California, 1971.

6. Samuel Y. Kupper, "Revolution in Chinese: Kiangsi Province, 1905-1913", Ph. D. Dissertation, University of Michigan, 1973.

7. Mary Backus Rankin, "Early Chinese Revolutionaries: Radical Intellectuals in Shanghai and Cheking, 1902-1911".

8. William R. Johson, "China's 1911 Revolution in the Provinces of Yunnan and Kweichow". Ph. D. Dissertation, University of Washington, 1962.

除上述之外，Thomas Lee（李本京）的紐約聖若望大學博士論文，The Canton Revolution of 1911，是分析在中山先生和黃克強策劃下發動的廣州起義。對於這重要事件，特別是孫先生和其他革命領導人物的關係，和孫先生在美國為革命運動籌款的情形，都有詳細的討論。⑯此外，較值得一提的是Shelley H. Cheng（鄭憲）在西雅圖華盛頓大學的博士論文，"The Tung-meng Hui: Its Organization, Leadership and Finances, 1905-1912"。鄭憲係黨國先進鄭烈的後人，他對同盟會以及十次革命經費的深入研究，具有開山式的貢獻，後來的學者無不以此文為必具的參考之作。本論文的重點第三章，說明同盟會的組織與領導，作者明確指出同盟會是一個嶄新的革命組織，

---

⑮ 呂芳上，〈評路康樂《中國之共和革命——一八九五至一九一三年之廣東》〉，《臺灣師範大學歷史學報》，第五期（民國六十六年四月），頁六〇一。

⑯ 葉嘉熾，〈民國三十八年以來在西方大學撰寫有關孫中山先生和中國革命的博士論文〉，參閱《研究中山先生的史料與史學》，頁三一一。

興中會會員固然也加入了新的團體，但是同盟會成立時，原與中山先生有過從的，只有十人而已。作者同時分析，同盟會權力中心的轉移，是隨中山先生與黃興的革命活動而變化的，例如一九〇五年八月至一九〇七年春，東京總部是主要的重心；一九〇七年春，中山先生赴安南，河內便成為革命活動的指揮重鎮；一九〇八年至一九〇九年，南洋——尤其是新加坡，又成為革命活動的中樞要站。作者同時並不諱言的指出，同盟會內部的分裂，減弱了革命陣營的力量，這一弱點在民國建立以後，同盟會會員的分化，尤見其影響。不過，作者也指出，章炳麟、陶成章等人的立異，在革命運動中並沒有影響到起義的進行，「三、二九」黨人的前仆後繼，共襄盛舉，顯示了中山先生領導下的同盟會，仍有極高的向心力。辛亥革命的成功，同盟會當然更是表現出了極大的力量。[17]

至於論及中山先生與美國關係的著作，則有 Thomas W. Ganschow 的"A Study of Sun Yat-sen's Contacts with the U.S. Prior to 1922"，此係一九七一年印第安那大學的博士論文。論文指出中山先生深信中國的改革和進展是應以美國為模範，而他受美國民主思想的影響至大。內容詳細分析了孫中山和美國各階層人物——如政府官員、商人、財政家等——的聯絡和關係。作者認為，中山先生的美國觀是粗略與簡化的。但是，美國革命、政治機構與快速發展的經濟，都令孫中山印象深刻，並激發他建設中國的意志。[18]此外，Kenneth W. Grisinger 的"The Policy of the United States Toward the Early Republican Movement in China, 1911-1916"（加州加奧蒙研究院博士論文），Emily Hwa Cheng 的"United States Policy During the Chinese Revolution, 1911-1912"（南卡羅來納大學博士論文），Richard C. Deangelis 的"Jacob Gould Schurman and American Policy Toward

"China, 1921-1925"（紐約聖若望大學博士論文），Michael V. Metallo 的"American Policies and Attitudes Toward Sun Yat-sen"（一九七四年紐約大學博士論文），Rose Pik-siu Chan 的"The Great Powers and the Chinese Revolution, 1911-1913"（一九七一年紐約福特翰大學博士論文）等⑲，都是探討美國對華政策的，值得參考。在此因為篇幅所限，無法一一展開討論。

第四節　美國官方對中山先生和中國革命的看法

根據楊日旭對《美國外交關係文書》（*Foreign Relations of the United States*）所做的分析研究，得出下列幾項特點：

㈠與其他中國政治人物比較，「文書」中有關中山先生之報告為數不多；

㈡除極少數例外，所有的報告幾乎都對中山先生不利，其中同情中山先生及其所領導的革

⑰ 呂芳上，〈評介鄭憲博士論文《中國同盟會的組織、領導與財力（一九〇五－一九一二）》〉，《臺灣師範大學歷史學報》，第四期（民國六十五年四月），頁五五一。

⑱ 國立中山大學中山學術研究所，《外國學者研究中山思想博士論文目錄索引及摘要》（民國八十二年十二月），上冊，頁一三二。

⑲ 葉嘉熾，前引文，頁三一二－三。

命之外交官僅寥寥二、三人而已；

(三)中山先生之形象，因駐華外交官之不利報告而遭到破壞，中山先生往往被視為「搗亂份子」、「叛徒」、「極端份子」、「自由份子」、「現想主義者」及「非領袖人物」等等；

(四)駐華之美國使節對中山先生之評價，幾持一共同看法，認定中山先生係一來自南方廣東省之地方性政治人物，非具廣大支持之全國性領袖人才；

(五)中國一般老百姓被認為係對政治冷淡而漠不關心，很顯然地，美國絕大多數的駐華外交人員認為中山先生的革命，不是「未為廣大民眾所瞭解」，即是「未受到民眾普遍廣泛之支持」。[20]

這些不利於中山先生的外交使節報告，當然直接或間接的影響美國總統及國務卿對華政策的製訂。

美國外交官員對中山先生及其所領導的革命抱有成見，相反的卻對袁世凱及北洋軍閥政府有所偏愛。他們對袁偏愛之模式具有以下幾項特點：

(一)重視袁世凱之實力，並強調袁政權及其領導對中國政局之穩定，及對美國利益之維護有密不可分與不可或缺的重要性；

(二)對袁政權本身之各種決策及施政之有關報告與評析，均極表同情與支持；

(三)否定中山先生所領導之革命，往往將中山先生之領導形象予以醜化，使其政策行動與動亂滋事混為一談；

(四)阻止中山先生與美國政府接觸，困擾其爭取在美影響及支援之一切努力；

(五)儘量設法與外國合作，採取聯合行動。[21]

就中山先生與美國的關係而論，美國國務院所出版之《美國外交關係文書》中的外交檔案很清楚地顯示，美國與中華民國的關係並非兩情相願，美好無間。據文書中編者按語及報告之引證得知，充分表現出文字吝嗇，矯柔造作，分析欠全及蓄意節略等缺點，對待孫中山及其革命政府十分輕率鹵莽。推究原因，據楊日旭分析，若非國務院外交關係文書之編者刁嗇，即係美國駐華外交官員怠職。因此類外交文件及報告非僅反映駐華之美國使節之偏執，而且影響美國對華之一般政策及對待中山先生之特別態度。其結果，則對中山先生所領導之共和政府及民主革命造成相當不公及不當之傷害。從這個意義而言，美國駐華外交官員影響美國政府做出不利於中山先生的政策一事，至少應該負擔部份責任。基於同樣理由，美國因支持以袁世凱為首的軍閥政府，而使中國民主政治的早日來臨遭受不必要之延誤，亦應負責。

中山先生在廣州成立革命政府所遭遇的外交承認問題，幾乎全是困難與挫折。歷任美國總統及國務院負責官員非僅未寄予同情，反而對中山先生持相當敵對態度。因為美國主要認為，中山先生為中國統一之障礙，而且對美國所承認之北京政府極力反抗。因之，自一九一二年起幾乎所有美國駐華外交人員都在其向國務院的報告中對中山先生加以批評。例如，美國公使嘉樂恆、代辦威廉及其他官員，無論其所持理由為何，均對中山先生持反對態度。一九一七年以

⑳ 楊日旭，〈美國國務院外交關係文書中關於中山先生的記載（一九一二—一九二五）〉，《孫中山與近代中國學術討論集》，第二冊，頁一九八—九。

㉑ 同前註，頁一九七。

後，芮恩施、舒爾曼、邁爾（Ferdinand L. Mayer，駐華公使參贊）、貝爾等亦如其前任，對中山先生相當敵視。國務卿藍辛、許士對中山先生及其所領導的廣州革命政府，亦均未有好感。㉒令人不解的是，這些駐華外交官在向國務院報告有關孫中山的言行時，常使用到「部分精神失常」（partially insane）、「心理不平衡」（mentally unbalance）、「病理症狀」（pathological case）、「精神崩潰」（nervous breakdown）等攻擊性字眼。同樣的，美國主管中國事務的遠東司官員，從馬慕瑞、羅赫德（Frank Lockhart）到詹森（Nelson T. Johnson），對廣州政府都不具好感。羅赫德從美國外交人員的報告中立下斷語說：「孫中山是中國統一道路上的嚴重障礙。……我懷疑，是否能提出某種使孫中山滿意的解決問題的有效辦法。」與孫中山有一面之緣的詹森，以為孫是「不切實際的夢想家。」馬慕瑞於一九二五年七月接替舒爾曼出任駐華公使，對待國民革命軍的北伐，則延續了對待廣州政府不具同情的態度。㉓

在威爾遜總統任內，四位前後任國務卿——諾克斯、布萊安、藍辛、柯爾比均對中山先生所領導之革命抱有誤會與成見。繼任之哈定總統及許士國務卿亦對中山先生未有好感。而中山先生與柯立芝總統亦少機緣接觸。

透過對美國國務院外交關係文書的爬梳，從以上美國駐華外交人員對中山先生看法的論述，我們大致可以瞭解，在中山先生有生之年，極力爭取美國協助與外交承認，卻始終無法獲得美國政府之同情與支持的原因所在。

在美國駐華外交人員之中，亦有人對中山先生及國民革命有肯定的評價，不過為數少之又少，幾乎是鳳毛麟角，駐廣州副領事蒲萊士便是一例。他根據自己的經驗，自一九二〇年起對中山先生在廣州所建立的中華民國政府提出不同的觀察和評估。在一九二一年一月十一日，蒲萊士向代理國務卿的報告提及中山先生及其僚屬時說：「參與（中華民國）政府之人士確能顯示其獻身於所治理人民福祉之熱情」，而且「充分表現令人耳目一新之誠樸、無誇及毫無媚外之作風。」在蒲萊士的心目中，中山先生及所屬同僚都很「勤奮、熱誠、克己」。他說：「南方政府領袖均係明達睿智之士，對外國思想及做事方法均相當熟悉。至少在目前，他們正努力嘗試表現其合作治理人民的才能，並且運用權力使人民自身感到滿意。」

雖然，蒲萊士的觀察報告，對中山先生及廣州國民政府有利，但為澄清其立場，特向國務院保證說，「並未讓自己與彼等（革命政府領袖）建立密切關係，為人解釋係對美國政府未予承認之政治團體有所偏愛或同情。」蒲萊士認為，廣州革命政府領袖做為華南事實上之權力中心，「業已做出許多事情獲得外人之尊重，遠比我在已往六年中所見之北京執政者所做者為多。」毫無疑義，蒲萊士對中山先生在廣州領導之政府所作的評價自與在華府及其他美國駐華同僚之見解相左。儘管如此，這位美國駐廣州副領事斬釘截鐵毫不含糊的說：「將所有因素都考慮在內，我認為對目前控制華南有相當大地區之事實上的政府採取同情之態度是符合美國利益的。」

當一九二一年五月五日孫中山在廣州就任大總統時，蒲萊士因華府與廣州並無官方外交關係而未能正式參加中山先生之就職大典，但從旁觀察並向國務院報告就職大典全部過程，看到

㉒ 同前註，頁二〇九。

㉓ 吳翎君，《美國與中國政治》，頁一四〇。

遊行隊伍通過人山人海、熱情感人的群眾時，蒲萊士得到一個肯定的結論：「孫逸仙博士在自己的這個城市中的確是深得民心。」

蒲萊士與中山先生及其他僚屬有過多次接觸，從實際接觸中，他對中國這位革命領袖和革命政府之施政有最貼近的觀察，於是向國務院提出以下明確的報告：

至於南方政府之前途，……即使不必訴諸武力，深信目前之領導階層至少將能掌握並保持中國某一地區。余亦確信彼等領袖，非僅孫博士一人，而係相當眾多而忠實之領導人物均支持華南之民主原則。因為它是中國唯一希望之所寄。此群特出人物容或永無目睹其理想有實現之日，但亦只有這群具有為公眾服務之理想及熱情起而領導不善於言之人民的革命人物，始能激發政治與民族自覺及自發精神，以救中國於日陷黑暗之深淵中。

蒲萊士雖明知自己的看法在美駐華外交同僚和國務院官員中屬於「孤鳥」地位，但仍堅持美國政府應對孫中山所領導的政府有較佳的對待，一再促請美國政府應對中山先生主持之政府公平。他說：

作為一個民主國家的人民，我深感對世界上任何一個竭誠努力建立民主的國家，給予真實的同情，都是合乎我國的國情與利益的。

在這一點上，我有信心說出，現在華南的每一個美國人的心聲。每一天都有美國人對我說：「到底有沒有什麼法子，讓我們美國人或我們國家能夠讓這些人知道，我們對他們非常同情呢？」

最後，這位美國駐穗副領事下結論說：「我可以補充一點，凡美國提出任何具體建議能使華南在不犧牲其基本理想原則下，可與華北達成統一者，我相信華南方面必樂於接受。希望我們老成之民主美國能協助現正在奮鬥中之中國人民得到一些光芒，照向前路。」

儘管薄萊士促請美國應公平而較佳的對待在廣州的中華民國政府，但國務院仍對中山先生呼籲美國承認之請求未加理會。㉔

終中山先生一生，從清末革命到民初種種政治活動，就其與美國官方接觸和交涉的過程而言，不啻就是一段失望、挫折和屈辱的歷史。德國的金德曼（Gottfried-karl Kindermann）教授說得好：「中山先生一生中最大的悲劇，可說是一個他所讚美傾慕的國家（指美國），卻對他反應冷淡。」㉕

廣州副領事蒲萊士人微言輕的真情告白和仗義直言，雖無助於大局的扭轉，未能改變國務院偏執的對華政策，惟他的善意看在國人眼裡，仍有「寒天飲冰水，冷暖自知」的「空谷足音」好感。一向自以為是的美國人，尤其擔負第一線工作的外交人員，尤宜三復蒲萊士斯言，不要重蹈歷史的覆轍，製造更多的悲劇！

㉔ 楊日旭，前引文，頁二一九—二二一。

㉕ 金德曼教授發言，同前書，頁二三四。

參考與徵引書目

一、史料彙編、檔案

秦孝儀主編，《國父全集》（近代中國出版社，民國七十八年十一月二十四日出版），全十二冊。

中國社會科學院近代史研究所中華民國史研究室等合編，《孫中山全集》（北京中華書局，一九八四年六月出版），全十一冊。

中國史學會主編，《辛亥革命》（上海人民出版社出版，一九五七年七月），全八冊。

中華民國開國五十年文獻編纂委員會編，《中華民國開國五十年文獻》（民國五十年三月至五十六年六月出版），共兩編，第一編標題為「革命源流與革命運動」，分裝十六冊；第二編標題為「辛亥革命與民國建元」，分裝五冊。

中國國民黨中央委員會黨史委員會編，《革命文獻》第一輯《中華民國開國時期史料》（四十二年五月）

第二輯《中國同盟會史料》（四十二年七月）
第三輯《興中會史料》（四十二年十月）
第四輯《辛亥革命史料》（四十二年十二月）
第五輯《辛亥革命史料、中華革命黨史料》（四十三年三月）
第六輯《討袁史料》（四十三年十月）
第七輯《護法史料》（四十三年十二月）
第四十一輯《民國初年之國民黨史料》（五十六年十二月）
第四十二、四十三合輯《宋教仁被刺及袁世凱違法大借款案》（五十七年三月）
第四十四輯《二次革命史料》（五十七年十二月）
第四十五輯《中華革命黨史料》（五十八年三月）
第四十六輯《討袁史料》㈠（五十八年五月）
第四十七輯《討袁史料》㈡（五十八年六月）
第四十八輯《中華革命黨時期函牘》（五十八年九月）
第四十九輯《護法與軍政府史料》（五十八年十二月）
第五十輯《護法戰役與南北議和史料》（五十九年三月）
第五十一輯《重建護法政府史料》（五十九年六月）
第五十二輯《重建廣州革命基地史料》（五十九年九月）
第六十四輯《興中會革命史料》（六十二年十二月）

第六十五輯《中國同盟會史料》(一)（六十三年三月）
第六十六輯《中國同盟會史料》(二)（六十三年六月）
第六十七輯《十次起義史料》（六十三年九月）

U. S. Department of State, Foreign Relations of the United States, 1921, 1922.

二、專書

1.論文集、選集

《辛亥革命研討會論文集》，中央研究院近代史研究所編刊，民國七十二年六月，臺北，一冊。

《中華民國建國史討論集》，中華民國建國史討論集編輯委員會編刊，民國七十年十月，六冊。

《中華民國歷史與文化討論集》，中華民國歷史與文化討論集編輯委員會編刊，民國七十三年六月，四冊。

《孫中山先生與近代中國學術討論集》，孫中山先生與近代中國學術討論集編輯委員會編刊，民國七十四年十二月，四冊。

《蔣中正先生與現代中國學術討論集》，蔣中正先生與現代中國學術討論集編輯委員會編刊，民國七十五年十二月，四冊。

《北伐統一六十周年學術討論集》，北伐統一六十周年學術討論集編輯委員會編刊，民國七十七年十月，一冊。

《中華民國建國八十年學術討論集》，近代中國出版社，民國八十年十二月，四冊。

《國父建黨革命一百周年學術討論集》，近代中國出版社，民國八十四年三月，四冊。
《辛亥革命與南洋華人研討會論文集》，國立政治大學國際關係研究中心印行，民國七十五年九月，一冊。
《孫中山思想與當代世界研討會論文集》，太平洋文化基金會編輯，民國七十九年二月，一冊。
《華僑與孫中山領導的國民革命學術討論會論文集》，張希哲、陳三井主編，國史館印行，民國八十六年八月，二冊。
《第一屆孫中山與現代中國學術研討會論文集》，國父紀念館，民國八十七年六月，一冊。
《第二屆孫中山與現代中國學術研討會論文集》，國父紀念館，民國八十八年五月，一冊。
《第三屆孫中山與現代中國學術研討會論文集》，國父紀念館，民國八十九年五月，一冊。
《第四屆孫中山與現代中國學術研討會論文集》，國父紀念館，民國九十年五月，一冊。
《第五屆孫中山與現代中國學術研討會論文集》，國父紀念館，民國九十一年十一月，一冊。
《第六屆孫中山與現代中國學術研討會論文集》，國父紀念館，民國九十二年十一月，一冊。
《第七屆孫中山與現代中國學術研討會論文集》，國父紀念館，民國九十三年九月，一冊。
《紀念辛亥革命九十週年學術研討會論文選集》，國父紀念館，民國九十年十二月，一冊。
《孫中山先生與辛亥革命》，中華民國史料研究中心編印，民國七十年十二月，三冊。
《研究中山先生的史料與史學》，黃季陸等著，中華民國史料研究中心出版，民國六十四年十一月，一冊。
《中國國民黨黨史論文選集》，近代中國出版社，民國八十三年十一月，五冊。

《中國現代史論集》，張玉法主編，聯經出版社，民國七十一年，十冊。
《中國近現代史論集》，中華文化復興運動推行委員會主編，臺灣商務印書館，第十七編，《辛亥革命》上下二冊，民國七十五年七月。第二十三編《民初外交》，上下二冊，民國七十五年九月。
《中國現代史專題研究報告》，中華民國史料研究中心編印，一至二十二輯，民國六十年至民國九十年。
《孫逸仙博士與香港國際學術會議論文集》，香港珠海書院《珠海學報》，第十三期，民國七十一年十一月。
《孫逸仙先生與中國現代化國際學術會議論文集》，香港珠海書院《珠海學報》，第十五期，民國七十六年十月。
《孫中山和他的時代——孫中山研究國際學術討論會論文集》，中國孫中山研究學會編，北京中華書局出版，全三冊，一九八九年十月。
《辛亥革命與近代中國——紀念辛亥革命八十週年國際學術討論會論文集》，北京中華書局編輯部編印，上下兩冊，一九九四年三月。
《孫中山與中國近代化——紀念孫中山誕辰一三〇周年國際學術研討會論文集》，張磊主編，北京人民出版社，上下兩冊，一九九九年一月。
《辛亥革命史》，章開沅、林增平主編，北京人民出版社出版，新華書店發行，全三冊，一九八〇年十二月。

《理想、道德、大同——孫中山與世界和平國際學術研討會論文集》，林家有、高橋強主編，中山大學出版社，二〇〇一年十月。

《孫中山與世界》，林家有、李明主編，吉林人民出版社，二〇〇四年三月。

《辛亥革命與二十世紀的中國——一九九〇—一九九九年辛亥革命論文選》，華中師大中國近代史研究所編，湖北人民出版社，二〇〇一年十月。

《辛亥革命與二十世紀的中國》，中國史學會編，中央文獻出版社，全三冊，二〇〇二年八月。

《孫中山與華僑學術研討會論文集》，中山大學孫中山研究所編，廣州中山大學出版社，一九九六年十月。

《孫文與華僑——紀念孫中山誕辰一三〇週年國際學術討論會論文集》，財團華人孫中山紀念會刊行，神戶，一九九七年三月。

《孫中山與近代中國論集》，廣東省社會科學院孫中山研究所編，廣東人民出版社發行，一九九五年六月。

《孫中山研究文集》，中山市孫中山研究會編，廣東人民出版社發行，一九九六年九月。

《孫中山研究文集》，第二輯，中山市孫中山研究會編，天馬圖書公司出版發行，一九九九年十一月。

2.專著

于宗先、王爾敏、李雲漢合著，《中山先生民生主義正解》，中華民國，中山學術文化基金會，民國九十年九月。

兀冰峰，《清末革命與君憲的論爭》，中央研究院近代史研究所專刊⒆，民國五十五年十二月。
王曾才，《中英外交史論集》，聯經出版公司，民國六十八年八月。
王曾才，《西洋近世史》，國立編譯館出版，正中書局發行，民國六十五年十二月初版。
王建朗，《中國廢除不平等條約的歷程》，江西人民出版社，二〇〇〇年四月。
王綱領，《民初列強對華貸款之聯合控制——兩次善後大借款之研究》，中國學術著作獎助委員會出版，民國七十一年八月。
王綱領，《歐戰時期的美國對華政策》，臺灣學生書局，民國七十七年七月。
王爾敏、李雲漢合著，《中山先生民族主義正解》，中華民國，中山學術文化基金會，民國八十八年二月。
任貴祥，《孫中山與華僑》，黑龍江人民出版社，一九九八年九月。
朱　諶，《孫中山與蔣中正的民族主義思想》，臺北黎明文化公司，民國八十二年八月。
朱建民，《美國總統繽紛錄》，臺灣商務印書館出版，民國八十五年十一月。
朱建民，《美國總統趣談》，臺灣商務印書館出版，民國八十七年十二月。
沈渭濱，《孫中山與辛亥革命》，上海人民出版社，一九九三年十一月。
吳相湘，《孫逸仙先生傳》，臺北遠東圖書公司，上下兩冊，民國七十一年十一月。
吳翎君，《美國與中國政治（一九一七—一九二八）——以南北分裂政局為中心的探討》，臺北，東大圖書公司，民國八十五年二月。
吳劍杰等，《孫中山及其思想》，武漢大學出版社，二〇〇一年九月。

李雲漢，《中國現代史論和史料》，臺灣商務印書館，人人文庫，上、中、下三冊，民國六十八年六月。
李雲漢，《中國近代史》，三民書局，大學用書，民國七十四年九月。
李雲漢，《中國國民黨史述》，中國國民黨中央委員會黨史委員會出版，全五冊，民國八十三年十一月。
李雲漢，《中山先生與日本》，中華民國中山學術文化基金會叢書，臺灣書店印行，民國九十一年二月。
李吉奎，《孫中山與日本》，孫中山基金會叢書，廣東人民出版社，一九九六年十月。
李吉奎，《孫中山的生平及其事業》，中山大學出版社，二〇〇一年十月。
李國祁，《民國史論集》，臺北南天書局發行，民國七十九年二月。
李國祁，《中山先生與德國》，中華民國中山學術文化基金會叢書，臺灣書店印行，民國九十二年一月。
李毓澍，《中日二十一條交涉》（上），中央研究院近代史研究所專刊⒅，民國五十五年八月。
李劍農，《中國近百年政治史》，臺灣商務印書館，民國四十六年五月，上下兩冊。
金沖及，《孫中山和辛亥革命》，孫中山基金會叢書，廣東人民出版社，一九九六年十月。
金沖及、胡繩武，《辛亥革命史稿》，上海人民出版社，一九八〇年。
岳謙厚，《顧維鈞外交思想研究》，北京人民出版社，二〇〇一年十二月。
林明德，《近代中日關係史》，三民書局出版，民國七十三年八月。

林家有，《孫中山振興中華思想研究》，孫中山基金會叢書，廣東人民出版社，一九九六年十月。

林家有，《孫中山與中國近代化道路研究》，廣東教育出版社，一九九九年十一月。

林家有，《孫中山與近代中國的覺醒》，中山大學出版社，二〇〇〇年十一月。

周南京主編，《華僑華人百科全書》，北京中國華僑出版社，新聞出版卷，一九九九年五月。

邱　捷，《孫中山領導的革命運動與清末民初的廣東》，孫中山基金會叢書，廣東人民出版社，一九九六年十月。

段雲章，《孫文與日本史事編年》，孫中山基金會叢書，廣東人民出版社，一九九六年十月。

段雲章、邱捷，《孫中山與中國近代軍閥》，四川人民出版社，一九八九年。

段雲章，《孫中山對國內情勢的審視》，中山大學出版社，二〇〇一年十月。

段雲章，《放眼世界的孫中山》，中山大學出版社，一九九六年九月。

段雲章、沈曉敏編，《孫文與陳炯明史事編年》，廣東人民出版社，二〇〇三年十月。

姜義華，《大道之行——孫中山思想發微》，孫中山基金會叢書，廣東人民出版社，一九九六年十月。

姚漁湘，《研究孫中山的史料》，臺北文星書店，民國五十四年出版。

俞辛焞、王振鎖編譯，《孫中山在日活動秘錄（一九一三、八——一九一六、四）——日本外務省檔案》，南開大學出版社，一九九〇年十二月。

俞辛焞，《孫中山與日本關係研究》，北京人民出版社，一九九六年八月。

俞辛焞，《辛亥革命時期中日外交史》，天津人民出版社，二〇〇〇年七月。
茅家琦等，《孫中山評傳》，南京大學出版社，二〇〇一年五月。
郝　平，《孫中山革命與美國》，北京大學出版社，二〇〇〇年二月。
桑　兵，《孫中山的活動與思想》，中山大學出版社，二〇〇一年十月。
馬兗生，《孫中山在夏威夷：活動和追隨者》，近代中國出版社，民國八十九年八月。
韋杰廷、鄧新華，《孫中山教育思想初探》，湖南教育出版社，一九九二年十二月。
韋杰廷，《孫中山哲學思想研究》，湖南人民出版社，一九八一年八月。
韋杰廷，《孫中山社會歷史觀研究》，湖南人民出版社，一九八六年七月。
韋杰廷、陳先初，《孫中山民權主義探微》，廣西師範大學出版社，一九九五年一月。
韋杰廷，《孫中山民生主義新探》，黑龍江教育出版社，一九九一年八月。
張玉法，《清季的革命團體》，中央研究院近代史研究所專刊(35)，民國六十四年二月。
張玉法，《辛亥革命史論》，臺北三民書局，民國八十二年一月。
張朋園，《立憲派與辛亥革命》，中央研究院近代史研究所專刊(24)，民國五十八年十月。
張忠紱，《中華民國外交史》(一)，正中書局，民國四十六年六月臺二版。
張　磊，《孫中山：愈挫愈奮的偉大先行者》，孫中山基金會叢書，廣東人民出版社，一九九六年十月。
張　磊主編，《孫中山辭典》，廣東人民出版社，全一冊，一九九四年九月。
郭廷以，《近代中國史綱》，香港中文大學出版社，一九七九年初版。

郭廷以，《近代中國史事日誌》，兩冊，民國五十二年三月初版。

郭廷以，《中華民國史事日誌》，第一冊，民國六十八年。

陳少白口述，許師慎筆記，《興中會革命史要》，中央文物供應社，民國四十五年六月。

陳固亭，《國父與日本友人》，幼獅書店出版，民國五十四年九月。

陳鵬仁，《國父在日本》，臺灣商務印書館，民國七十七年八月。

陳三井，《近代中法關係史論》，臺北三民書局，民國八十三年一月。

陳三井，《中山先生與法國》，中華民國中山學術文化基金會叢書，臺灣書店印行，民國九十一年十二月。

陳志先等編，《中山先生嘉言錄》，中華民國中山學術文化基金會叢書，臺灣書店印行，民國九十一年十一月。

陳錫祺主編，《孫中山年譜長編》，北京中華書局出版，全二冊，一九九一年八月。

許雅棠等，《中山先生民權主義正解》，中華民國中山學術文化基金會，民國八十九年十二月。

陶文釗，《中美關係史（一九一一—一九五〇）》，重慶出版社，一九九三年十月。

曹汝霖，《曹汝霖一生之回憶》，傳記文學出版社，民國五十九年六月。

國立中山大學中山學術研究所編刊，《外國學者研究中山思想博士論文目錄索引及摘要》，民國八十二年十二月。

莫世祥，《護法運動史》，臺北稻禾出版社，民國八十年十月。

教育部主編，《中華民國建國史》，國立編譯館出版，第一篇，《革命開國》，二冊，民國七十四年四月；第二篇，《民初時期》，四冊，民國七十六年三月。

馮自由，《革命逸史》，臺灣商務印書館，全五集，民國五十八年三月。

馮自由，《中華民國開國前革命史》，世界書局印行，全二冊，民國七十三年八月三版。

黃　彥，《孫中山研究和史料編纂》，孫中山基金會叢書，廣東人民出版社，一九九六年十月。

黃珍吾，《華僑與中國革命》，國防研究院與中國文化研究所合作印行，民國五十二年九月。

黃宇和，《孫逸仙倫敦蒙難真相——從未披露的史實》，聯經出版公司，民國八十七年十月。

黃季陸，《國父軍事顧問——荷馬李將軍》，中華民國史料研究中心印行，民國五十八年十一月。

彭澤周，《近代中國之革命與日本》，臺灣商務印書館，民國七十八年十月。

彭澤周，《近代中日關係研究論集》，臺北藝文印書館出版，民國六十七年十月。

楊玉聖，《中國人的美國觀——一個歷史的考察》，復旦大學出版社，一九九六年十一月。

葛禮著，莪班尼恩上尉口述，胡百華譯，《雙十．荷馬李將軍的故事》，傳記文學出版社，民國五十九年九月。

劉伯驥，《美國華僑史》，黎明文化公司，民國六十五年六月。

劉偉森，《孫中山與美加華僑》，近代中國出版社，民國八十八年十二月。

蔣永敬，《孫中山與中國革命》，國史館印行，民國八十九年十二月。

蔣永敬、楊奎松，《中山先生與莫斯科》，中華民國中山學術文化基金會叢書，臺灣書店印行，民國九十年五月。

蕭致治，《黃興評傳》，南京大學出版社，二〇〇一年九月。
顏清湟著、李恩涵譯，《星馬華人與辛亥革命》，聯經出版公司，民國七十一年五月。
羅香林，《國父與歐美之友好》，中央文物供應社，民國六十八年八月再版。
羅家倫主編，黃季陸、秦孝儀增訂，《國父年譜》，全二冊，中國國民黨中央委員會黨史委員會，民國七十四年十一月第三次增訂。
史扶鄰原著，丘權政、符致興合譯，《孫中山與中國革命的起源》，中國社會科學出版社，一九八一年六月。
韋慕廷原著、楊慎之譯，《孫中山——壯志未酬的愛國者》，廣州中山大學出版社，一九八六年十月。
Sidney H. Chang & Leonard D. Gordon 合著，林金源譯，《天下為公——孫中山先生及其革命思想》，中山基金會籌備處出版，民國八十年十月。
薛君度原著、楊慎之譯，《黃興與中國革命》，香港：生活、讀書、新知三聯書店，一九八〇年。
Lyon Sharman, Sun Yat-Sen: His Life and Its Meaning, Stanford University Press, 1934.
Marie-Claire Bergère, Sun Yat-Sen, Paris, Editions Fayard, 1994.

3. 論文

王聿均，〈舒爾曼在華外交活動初探〉，《中央研究院近代史研究所集刊》，第一期，民國五十八年八月。

王綱領，〈美國對辛亥革命之態度與政策〉，收入《中國近代現代史論集》，第十七編，下冊。
王綱領，〈美國與孫逸仙博士(一九一一—一九二二)〉，《珠海學報》，第十三期，民國七十一年十一月。
王爾敏，〈評介徐高阮著《中山先生的全面利用外資政策》〉，《珠海學報》，第十三期，民國七十一年十一月。
邵宗海，〈美國外交承認中華民國始末〉，收入《國父建黨革命一百周年學術討論集》。
呂士朋，〈民國二年美國承認中華民國的經緯〉，收入《孫中山先生與近代中國學術討論集》。
呂實強，〈孫中山之兩次北伐〉，收入《北伐統一六十周年學術討論集》。
呂芳上，〈荷馬李檔案簡述〉，收入《研究中山先生的史料與史學》。
呂芳上，〈廣東革命政府的關餘交涉〉，收入《中華民國歷史與文化討論集》。
呂芳上，〈評介鄭憲博士論文《中國同盟會的組織、領導與財力(一九〇五—一九一二)》〉，《國立臺灣師範大學歷史學報》，第四期，民國六十五年四月。
呂芳上，〈評路康樂《中國之共和革命——一八九五至一九一三年之廣東》〉，《國立臺灣師範大學歷史學報》，第五期，民國六十六年四月。
李守孔，〈南京臨時政府成立前後清帝退位之交涉〉，收入《中國近代現代史論集》，第十七編，《辛亥革命》，下冊。
李雲漢，〈中山先生護法時期的對美交涉(一九一七—一九二三)〉，收入《中華民國史料研究中心十週年紀念論文集》。

李雲漢，〈關於國父傳記著述的評述〉，收入《研究中山先生的史料與史學》。

李雲漢，〈研究中山先生的英文史料〉，收入《研究中山先生的史料與史學》。

胡夢華，〈中國軍閥之史的敘述〉，收入《中國現代史論集》，第五輯，《軍閥政治》。

俞旦初，〈美國獨立史在近代中國的介紹與影響〉，《世界歷史》，一九八七年第二期。

夏良才，〈亨利·喬治的單稅論在中國〉，《近代史研究》，一九八〇年第一期。

徐炳憲，〈段祺瑞的三次組閣〉，收入《中國現代史論集》，第五輯，《軍閥政治》。

許智偉，〈西方政治思想及革命歷史對國父革命主義之影響〉，收入《孫中山先生與辛亥革命》，上冊。

馬慶忠，〈孫中山與美洲華僑〉，收入《孫中山與華僑學術研討會論文集》。

陳裕清，〈美國華僑與國民革命〉，收入《孫中山先生與辛亥革命》，下冊。

陳錫祺，〈華僑是孫中山革命事業的積極支持者〉，收入《孫中山與華僑學術研討會論文集》。

陳三井，〈香港中國日報的革命宣傳〉，香港《珠海學報》，第十三期，收入《孫中山先生與辛亥革命》，中冊。

陳三井，〈法國與辛亥革命〉，收入《中國近代現代史論集》，第十七編《辛亥革命》（上）。

陳三井，〈巴黎和會前後中國人的美國觀〉，《華美族研究集刊》，一卷二期（二〇〇一年八月），頁七五—九一。

陳福霖，〈美國《獨立雜誌》所刊孫中山先生的三篇著作〉，收入《研究中山先生的史料與史學》。

陳福霖，〈美國《獨立雜誌》對孫中山先生和中國革命的評論（一九一二—一九二五）〉，收入《中華民國史料中心十週年紀念論文集》。

張朋園，〈評史扶鄰著《孫逸仙與中國革命之起源》〉，《思與言》，八卷五期，民國六十年一月。

張馥蕊，〈辛亥革命時期的法國輿論〉，收入吳相湘主編，《中國現代史叢刊》（臺北正中書局，民國五十九年十一月臺二版），第三冊。

麥金農，〈中國報導——美國媒體與一九一一年辛亥革命〉，收入《辛亥革命與二十世紀的中國》，下冊。

彭澤周，〈辛亥革命與日本西園寺內閣〉，收入《中國近代現代史論集》，第十七編，《辛亥革命》，上冊。

楊玉聖，〈孫中山先生的美國觀——一個比較分析〉，收入《第五屆孫中山與現代中國學術研討會論文集》。

楊日旭，〈美國國務院外交關係文書中關於孫中山先生的記載（一九一二—一九二五）〉，收入《孫中山與近代中國學術討論集》，第二冊。

楊日旭，〈美國中央政府機密檔案記載的孫中山先生〉，收入《國父建黨革命一百周年學術討論集》，第一冊。

黃宇和，〈興中會時期孫中山先生革命思想探索〉，收入《國父建黨革命一百周年學術討論集》，第一冊。

黃嘉謨，〈中國對歐戰的初步反應〉，《中央研究院近代史研究所集刊》，第一期，民國五十八年。

葉嘉熾，〈民國三十八年以來在西方大學撰寫有關孫中山先生和中國革命的博士論文〉，收入《研究中山先生的史料與史學》。

葛立格，〈孫中山先生與中國現代化——與喬治學說的關聯〉，收入《孫中山先生與近代中國學術討論集》，第一冊。

蔡石山，〈美國洪門與孫中山先生領導的革命事業〉，收入《華僑與孫中山先生領導的國民革命學術研討會論文集》。

蔣永敬，〈韋著《孫逸仙》評介〉，《中華學報》，五卷一期，民國六十七年一月。

薛君度，〈武昌革命爆發後的美國輿論和政策〉，收入《孫中山和他的時代——孫中山研究國際學術討論會論文集》，上冊。

羅時實，〈一本值得重看的舊書——林百樂教授著：《孫中山先生的政治學說》簡介〉，《中華學報》，一卷一期，民國六十三年一月。

國家圖書館出版品預行編目資料

中山先生與美國

陳三井著. – 初版. – 臺北市：臺灣學生，
2005 [民 94]
面；公分（中山學術文化基金會中山叢書）

ISBN 957-15-1240-0 (平裝)

1. 孫文 – 傳記
2. 中國 – 歷史 – 現代（1900–）

005.31 94000335

中華民國中山學術文化基金會中山叢書

中山先生與美國（全一冊）

主編：劉真
著作者：陳三井
發行人：盧保宏
發行所：臺灣學生書局有限公司
臺北市和平東路一段一九八號
郵政劃撥戶：○○○二四六六八號
電話：(○二)二三六三四一五六
傳真：(○二)二三六三六三三四
E-mail:student.book@msa.hinet.net
http://www.studentbooks.com.tw

本書局登記證字號：行政院新聞局局版北市業字第玖捌壹號

印刷所：長欣彩色印刷公司
中和市永和路三六三巷四二號
電話：二二二六八八五三

定價：平裝新臺幣二三○元

中華民國九十四年一月初版

00501

ISBN 957-15-1240-0 (平裝)